“Vous vivez seule ici ?” demanda Oliver en entrant.

“Oh, non !” rétorqua Lorene. “Je partage cet appartement avec une douzaine d’hommes...” Puis, elle enchaîna : “Bien entendu, je vis seule. Qui voudrait cohabiter avec une personne aussi tristement célèbre que moi ?”

“Tristement célèbre ?” répéta-t-il, stupéfait. “Est-ce ainsi que vous vous considérez ?”

“N’est-ce pas à vous que je dois cet honneur ?” riposta-t-elle, mordante.

“Je vous en prie, Lorene. Je voulais venir vous voir demain, mais j’ai aperçu de la lumière et...”

“Et vous avez profité de l’occasion. C’est une de vos spécialités, monsieur Shaw. Vous êtes un opportuniste. J’ai déjà eu l’occasion de m’en rendre compte !”

DANS HARLEQUIN ROMANTIQUE

Penny Jordan

est l'auteur de

196—CELLE D'AUTREFOIS
240—UN SEUL INSTANT SUFFIT
243—L'ENFANT DE L'ORAGE
267—LA NAÏADE D'EOS
286—LES OTAGES DE LA JUNGLE
297—EN DÉPIT DE TOUT
331—SANS MÊME UN ADIEU

DANS COLLECTION HARLEQUIN

Penny Jordan

est l'auteur de

373—AU PALAIS DES ORANGERS
377—UN TROP LONG SILENCE
421—SIX MOIS POUR T'AIMER
431—SUR SCÈNE ET DANS LA VIE
451—UN JOUET ENTRE TES MAINS
477—UNE NUIT, ET L'OUBLI...

Il passait comme le vent

Penny Jordan

Harlequin Romantique

PARIS • MONTREAL • NEW YORK • TORONTO

Publié en août 1985

ISBN 0-373-41345-9

Dépôt légal 3e trimestre 1985
Bibliothèque nationale du Québec et Bibliothèque nationale du Canada.

Imprimé au Québec, Canada—Printed in Canada

1

Lorene exhala un soupir d'irritation en apercevant Sally. La jeune fille venait de passer la tête par l'entrebâillement de la porte pour la centième fois de la journée au moins et, les yeux brillants d'excitation, elle demanda :

– Alors? Il n'est toujours pas arrivé?

Lorene se remit au travail. Tout en déchiffrant ses notes, elle riposta :

– Non, et de toute façon, quand il se montrera, je ne serai sûrement pas la première au courant. Frances aura plus de chances de l'entrevoir puisqu'elle est à la réception... Et au fait, Sally, vous feriez bien de vous remettre à l'ouvrage, M. Marshall ne sera pas enchanté de vous voir dans mon bureau. Il m'a semblé comprendre qu'il avait un besoin urgent de ces photocopies...

– Bon, bon, d'accord, marmonna Sally, je m'en vais... Mais vraiment, Lorene, votre froideur me dépasse! ajouta-t-elle en ignorant le froncement de sourcils réprobateur de la secrétaire. Nous nous apprêtons à recevoir la visite d'un célèbre écrivain, le plus populaire en Angleterre sans doute, et la seule chose qui vous préoccupe sont ces maudites photocopies! N'êtes-vous pas un peu excitée à l'idée de le rencontrer?... Juste un tout petit peu? Je l'ai vu à la télévision, continua-t-elle d'un air rêveur.

Elle marqua une pause, les yeux dans le vague et reprit avec ferveur :

– Oh, Lorene, il est si beau, si charmant, vous ne trouvez pas?

– Pour moi, M. Graves représente seulement un futur client en perspective pour l'agence. Je n'ai jamais eu l'occasion de lire ses livres, ni de le voir à la télévision d'ailleurs, déclara-t-elle d'un ton sec.

– Si vous voulez mon avis, c'est bien dommage pour vous! décréta Sally sans ambages avant d'enchaîner avec enthousiasme : j'avoue préférer les hommes bruns, ils sont tellement plus...

Elle s'arrêta net en voyant l'air furieux de la secrétaire. Lorene travaillait chez *Marshall et Marshall*, une firme d'experts-comptables, depuis aussi longtemps qu'elle, mais pour Sally, la jeune fille demeurait une énigme. Elle avait bien tenté à maintes reprises de l'interroger discrètement sur sa vie, ses occupations, en vain. Lorene s'était toujours dérobée, ne lui révélant rien et détournant habilement la conversation de sujets trop personnels. En fait, elle n'en savait toujours pas plus long sur elle qu'au premier jour, lorsque Lorene avait été engagée pour remplacer l'assistante de M. Marshall qui partait à la retraite.

Tout en l'examinant à la dérobée, Sally devait admettre que Lorene aurait pu être très jolie, si seulement elle avait voulu faire un effort. Le rayon de soleil qui filtrait à travers les stores jetait des reflets auburn dans son opulente chevelure châtain, ramassée en un sévère chignon sur la nuque. D'après ses estimations, Sally était convaincue que Lorene ne devait pas avoir plus de vingt et un ans. Mais sa façon de se vêtir lui en donnait aisément vingt de plus; elle affectionnait particulièrement les tailleurs de tweed de couleur indéfinissable qui l'engonçaient et des chemisiers à col cravate dénués de toute fantaisie. Quant à ses chaussures, nota Sally avec une moue, elles étaient tout simplement horribles! Lorene ne se maquillait jamais et pourtant, son teint était d'une clarté translucide qui faisait l'envie de Sally. Jamais personne à l'agence ne l'avait entendue parler de sa famille ou même de quoi que ce soit en dehors de son travail dans la firme. Avait-elle un ami? Sally en doutait fortement. Dès que l'on abordait ce sujet, Lorene prenait une expression tendue, lointaine, qui n'avait pas échappée à Sally. D'ailleurs, elle était convaincue que la secrétaire avait souffert d'une mauvaise expérience avec un homme dans le passé, et que cette mésaventure l'avait transformée, traumatisée, même. Encore une fois, c'était une pure hypothèse de la part de Sally car elle n'avait jamais obtenu un quelconque indice pour étayer sa thèse... Lorene était bien trop discrète pour cela. Pourtant, malgré son caractère secret, Sally aimait bien la jeune fille. Cette dernière était l'assistante personnelle de M. Marshall et la plus ancienne de l'entreprise, mais la plus abordable aussi. Sally admirait sa compétence, son efficacité. Elle était souvent submergée de travail mais savait prêter une oreille attentive aux autres lorsqu'ils avaient des problèmes... comme Sally, par exemple, lorsqu'elle avait des démêlés avec ce maudit photocopieur, et Dieu sait si cela lui arrivait souvent, hélas! Lorene ne lui refusait jamais de l'aide, pas comme cette chipie de Frances, à la réception, qui la traitait comme une inférieure!

En songeant à Frances, Sally esquissa une grimace. Et en plus, la réceptionniste allait avoir le privilège d'apercevoir le célèbre M. Graves en premier. Ce n'était pas juste! Elle imaginait déjà le sourire angélique de Frances à l'écrivain. Il serait sans doute charmé par sa blondeur et ses yeux d'un bleu azur. En général, les hommes tombaient tous dans le piège, se dit-elle avec humeur. Mais s'ils avaient idée de ce que cachait cette séduisante façade...

L'air sérieux, elle se tourna vers Lorene et lui demanda :

– Sincèrement, Lorene, n'éprouvez-vous pas un peu de curiosité pour ce fameux personnage? Je veux dire, juste un petit peu?

Un faible sourire erra sur les lèvres de la jeune fille. Visiblement, Sally avait du mal à la croire. Pour elle, l'indifférence de Lorene était inconcevable. Son sourire disparut et ses yeux prirent un éclat dur, farouche. Non vraiment, les hommes ne l'intéressaient pas. La seule chose qu'elle ressentait à leur égard était de la froideur lorsqu'ils se montraient distants comme son patron, M. Marshall et une haine mêlée de peur s'ils lui témoignaient le moindre signe d'attention. C'était devenu un réflexe si profondément ancré en elle qu'elle n'en avait même plus conscience. Elle ne se rendait pas compte à quel point les contacts physiques lui faisaient horreur.

Lorene était souvent le sujet de discussion favori des comptables installés à l'étage inférieur, et si elle s'en était doutée, elle en aurait été scandalisée. Mais Lorene vivait tellement repliée sur elle-même depuis des années qu'elle n'avait pas conscience des réactions des autres. Elle semblait évoluer dans un monde à part, un monde sans hommes. Il n'y en avait pas eu dans l'établissement où elle était allée quand... quand elle s'était retrouvée seule au monde. Au début, on l'avait placée dans un orphelinat, mais ses cauchemars incessants, son refus obstiné de parler aux autres pensionnaires avaient convaincu la psychologue qui s'occupait d'elle de l'envoyer chez les religieuses. Elle y avait été heureuse, à sa façon. Lorene avait même été tentée de faire son noviciat mais la Supérieure l'en avait gentiment dissuadée. Lorene ne possédait pas encore assez d'expérience pour prendre une telle décision, avait-elle expliqué. D'après elle, Lorene ne possédait pas de vocation réelle.

Bien sûr, elle avait su qu'on lui mentait. La Supérieure avait été diplomate mais elle n'avait pas abusé Lorene. On l'avait purement et simplement rejetée, et la jeune fille se doutait bien des raisons qui avaient poussé la Supérieure à agir ainsi!

A cette pensée, elle crispa convulsivement ses doigts sur le clavier de sa machine. Ses yeux reflétaient son désarroi. Elle se souvenait de sa peine, de sa terreur. Les souvenirs atroces la submergèrent avec une force époustouflante, tel un puissant raz de marée, des souvenirs qu'elle croyait à jamais enfouis dans sa mémoire... Incapable de se contenir sous la force de cet assaut brutal, elle frissonna.

– Lorene! Que se passe-t-il?

La voix de Sally empreinte d'inquiétude lui parvint comme dans un brouillard et elle reprit lentement pied avec la réalité. Le cauchemar s'éloignait, accordant un répit à la jeune fille... mais pour combien de temps?

– Je vais très bien, je vous remercie, Sally, juste un étourdissement passager. Que diriez-vous d'une tasse de thé?

Impressionnée par la courte scène qui venait de se produire, Sally acquiesça sans discuter. Ce qu'elle avait surpris dans le regard de la secrétaire l'avait ébranlée. Ses prunelles ambrées avaient trahi une peur et une tristesse si poignantes!

Elles burent leur thé en silence, comme d'habitude. Lorene n'était pas femme à colporter des ragots sur les autres, contrairement à beaucoup d'employés dans la firme dont c'était le passe-temps favori. Pourtant, elle n'était pas prude, loin de là. Lorene donnait une impression de maturité et d'équilibre mais...

Sally jeta un coup d'œil furtif à sa montre et s'aperçut avec horreur qu'il était trois heures passées!

– Oh, zut! s'exclama-t-elle. J'ai sûrement dû le manquer! Quelle idiote!

Ses craintes se justifièrent lorsqu'elle entendit la sonnerie de l'interphone. Lorene appuya sur le bouton et écouta quelques instants en silence la voix grave de son patron.

– M. Marshall voudrait que je prenne des notes, déclara-t-elle à Sally. Cela risque d'être long, pourriez-vous préparer un plateau de thé afin que je l'emporte avec moi?

Le thé était en effet une cérémonie de rigueur chez *Marshall et Marshall*, les clients y étaient traités avec courtoisie et déférence et le directeur de l'agence tenait beaucoup à cette image. Sally trouvait ce rituel ennuyeux et démodé, elle l'avait souvent fait remarquer à Lorene.

La jeune fille revint néanmoins avec le plateau, faisant preuve d'une célérité peu coutumière. La présence du célèbre M. Graves y était sûrement pour quelque chose, se dit Lorene en souriant.

Avant de pénétrer dans le bureau de M. Marshall, elle vérifia d'un rapide coup d'œil son apparence. Non, nota-t-elle avec satisfaction, aucune mèche rebelle ne s'était échappée de son chignon. Cela ne lui arrivait d'ailleurs jamais. Sauf une fois... Elle pâlit légèrement en se rappelant l'incident qui s'était déroulé à l'école de secrétariat, l'année où elle y avait été élève... Ses camarades, irritées par son apparence austère et son éternel chignon avaient tenté de la persuader d'adopter une coiffure moins stricte. Devant le refus obstiné de Lorene, elles avaient voulu la faire changer d'avis par la force et pendant que quelques unes d'entre elles l'immobilisaient, d'autres lui avaient ôté une à une les épingles de son chignon... Oh, comme elle avait souffert! Elle se souvenait avec une terrible acuité de l'impression qu'elle avait ressentie alors : comme si elle suffoquait, paralysée par une peur dévorante sans pouvoir se défendre. Lorene crispa involontairement la bouche et son teint, habituellement si clair, rosit. Sa peau translucide et nacrée, son ossature si fine, elle les avait héritées de son père qu'elle n'avait jamais connu. Les renseignements qu'elle avait peu à peu glanés sur lui en écoutant sa mère étaient dérisoires. Elle savait seulement qu'il était d'origine écossaise, un aventurier né qui avait trouvé la mort dans une émeute à Hong Kong. Sa mère n'avait pas semblé très affectée par cette disparition et Lorene soupçonnait que leur mariage n'avait pas été une réussite. Quant à elle, elle n'avait pas non plus ressenti durement cette perte. Aussi loin qu'elle s'en souvenait, il n'y avait eu dans sa vie que sa mère et ses grands-parents. Ils habitaient tous une confortable maison à Hampstead, un quartier résidentiel très paisible. Comme elle avait été heureuse en ce temps-là! Elle courait dans le jardin, accompagnée de son épagneul, son plus fidèle compagnon.

Elle lui parlait, inventait de nouveaux jeux et il semblait toujours la comprendre.

Lorene se rappelait aussi avec netteté la petite école communale où elle s'était fait tant d'amies.

Mais bientôt, son bonheur s'était lentement effrité. La mort de ses grands-parents avait annoncé le début d'une longue série d'événements qui allaient cruellement marquer Lorene. Leur soutien, leur affection lui manquaient et la grande demeure lui parut soudain vide et triste. La petite fille errait dans les couloirs comme une âme en peine, consciente d'avoir perdu deux êtres qui l'avaient tendrement aimée.

Des soucis financiers s'étaient ensuite greffés à leur tristesse. Sa mère ne pouvait faire face à l'entretien de la propriété et, à contrecœur, elle avait dû se résoudre à prendre des pensionnaires...

A ce souvenir, Lorene frissonna et rattrapa de justesse le plateau en équilibre instable. Que lui arrivait-il? se demanda-t-elle avec angoisse. Pourquoi le passé revenait-il la hanter? Les regrets étaient inutiles et elle était satisfaite de son sort. Son appartement coquet décoré simplement mais avec goût se trouvait dans un endroit agréable de Londres. Lorene avait même réussi à s'offrir une voiture qui lui permettait de s'évader à la campagne dès que l'envie lui en prenait. Non, vraiment, elle n'avait pas à se plaindre. Elle était seule au monde désormais. Sa mère avait toujours eu des problèmes de cœur, et après... après l'annonce du jugement, elle n'avait pu endurer l'humiliation qui avait rejailli sur la famille et elle s'était progressivement affaiblie pour s'éteindre peu de temps après comme pour fuir une existence chargée de honte et ainsi punir sa fille de lui avoir infligé ce supplice.

Et il y avait eu des moments où Lorene s'était persuadée que c'était elle qui aurait dû mourir et non sa mère. Mais cela aurait été une solution trop aisée. Le destin avait décidé de lui faire expier sa faute en la forçant à vivre, à affronter le mépris des autres...

Lorene se ressaisit, carra les épaules et après avoir pris une profonde inspiration, poussa résolument la porte du bureau de son patron. Ce dernier possédait la pièce la plus luxueusement meublée de toute l'agence; le bois dominant était l'acajou; des tableaux représentant des scènes de chasse ornaient les murs. Un décor à la fois sobre et élégant tout à fait adapté à son occupant, le sobre et sérieux M. Marshall... songea distraitement Lorene. Ici, la fantaisie et l'originalité n'avaient pas de place.

Dès qu'il aperçut sa secrétaire, M. Marshall esquissa un faible sourire et déclara d'un ton où perçait de l'approbation :

– Ah! Lorene, c'est vous... Bien, je vois que vous avez pensé à apporter du thé. Posez le plateau là, je vous prie.

Sur ces paroles, il lui décocha un autre timide sourire, événement tout à fait exceptionnel car cet homme sévère ne se départissait que très rarement de son expression austère. Mais dans le cas de Lorene, c'était différent. Elle était si compétente! La meilleure assistante qu'il ait jamais eue, en fait. Efficace, discrète, intelligente, dévouée, bref, les adjectifs élogieux lui manquaient pour la décrire. Pourtant, il avait nourri des doutes à son sujet avant de l'engager. Mais en moins d'un mois, Lorene avait prouvé qu'elle était digne de confiance.

Du coin de l'œil, il l'observa. Tout en elle évoquait l'efficacité : son tailleur en tweed strict, sa blouse blanche au col montant... Mais ses vêtements ne parvenaient pas à masquer totalement la perfection de sa silhouette, nota-t-il cependant.

Tandis qu'elle versait le thé, les yeux baissés, Lorene avait conscience de l'examen dont elle était l'objet de la part du nouveau client. Intérieurement, elle était furieuse. De quel droit se permettait-il de l'examiner ainsi? Exaspérée, elle exhala un soupir et fronça les sourcils. En vain... L'inconnu, imperturbable, continuait de la dévisager avec insolence. Et avec quelle insistance son regard s'attardait le long de ses jambes, comme s'il la touchait vraiment! songea-t-elle avec indignation.

Lorsqu'il fit mine de se pencher pour prendre un papier dans sa mallette, Lorene dut se contenir pour ne pas lui adresser une remarque cinglante. Quelle audace! S'il pensait qu'elle n'avait pas remarqué son manège! D'une voix glaciale, elle demanda :

– Préférez-vous du lait ou du citron, monsieur?

L'homme leva la tête et se tourna vers elle pour répondre à sa question. Dès qu'elle vit son visage, Lorene manqua défaillir, elle devint blême et ses oreilles se mirent à bourdonner. Non! Ce n'était pas possible! Pas lui! Affolée, elle ferma les paupières et attendit une seconde avant de les rouvrir. Mais non, il se tenait toujours devant elle, Lorene n'avait pas eu de vision! Oh, elle n'aurait pas eu de mal à reconnaître cet homme qui l'avait tant fait souffrir.

Ses traits demeuraient marqués dans sa mémoire, d'une manière indélébile...

Comme dans un brouillard, la voix de M. Marshall lui parvint. Il paraissait si loin tout à coup. Était-ce elle qu'il appelait? Par un immense effort de volonté, elle parvint à tendre la soucoupe à celui qui se faisait appeler Jonathan Graves... mais qu'elle connaissait mieux sous le nom d'Oliver Shaw. Lui aussi l'avait reconnue. Elle avait surpris la lueur de stupéfaction qui avait brillé dans ses yeux avant qu'il ne parvienne à masquer son choc. Oui, il avait été choqué de la revoir et Lorene en éprouvait une amère satisfaction. Qu'avait-il espéré? Qu'elle cesse de vivre après l'humiliation qu'il lui avait fait subir? Eh bien, si tel avait été son but, il devait en effet être déçu!

La voix autoritaire de M. Marshall vint briser l'oppressant silence et l'obligea à reprendre ses esprits.

– Lorene, asseyez-vous. Monsieur Graves ou monsieur Shaw... car c'est le nom que vous préférez employer, n'est-ce pas? ajouta-t-il à l'adresse de son client.

Devant le signe de tête affirmatif de ce dernier, il poursuivit :

– Monsieur Shaw, donc, aimerait pouvoir emporter des notes résumant notre entretien. Je suis sûr que vous le connaissez, monsieur Shaw est un écrivain célèbre. Il vivait à l'étranger jusqu'à aujourd'hui et a décidé de revenir se fixer en Angleterre. Il s'adresse à nous afin que nous puissions le conseiller fiscalement pour ses placements...

Pendant que son patron lui expliquait la situation, l'esprit de Lorene vagabondait. Écrivain? Ainsi, Oliver Shaw était écrivain. Elle imaginait sans peine le genre de littérature qu'il affectionnait. Il devait avoir une nette prédilection pour les histoires accompagnées d'un fort parfum de scandale. Pour lui, la vérité importait peu, il s'appliquait sans doute à la déformer avec beaucoup de talent jusqu'à ce qu'elle soit méconnaissable. Comment pouvait-on laisser ces gens conditionner les autres en toute impunité, leur laisser croire de monstrueux mensonges? Cette seule pensée révoltait la jeune fille. Oliver Shaw n'avait-il pas prouvé à quel point il était méprisable lorsqu'il avait écrit cet odieux article sur elle alors que...

En se forçant, Lorene réussit à sourire de façon naturelle à son patron. Les six longues années qui avaient suivi son humiliante comparution en justice lui avaient au moins appris une chose vitale : savoir maîtriser, encaisser les chocs et ne jamais trahir ses émotions.

Silencieuse, elle prit place sur une chaise et sortit son bloc et un crayon. Tandis qu'elle consignait la discussion qui se tenait entre les deux hommes, elle avait conscience de façon aiguë de la voix profonde et musicale d'Oliver Shaw, de la moindre nuance contenue dans ses intonations. La sensation atroce, proche de la nausée qui l'avait envahie lorsqu'elle l'avait aperçu, s'était estompée pour céder la place à un insidieux sentiment de peur. Et s'il essayait de lui parler, de lui rappeler?... Mais non, c'était impossible. Elle refusait simplement de songer à cette éventualité. Résolument, elle se concentra sur les signes qui s'accumulaient sur les pages, semblables à de bizarres hiéroglyphes ou encore à des serpents en train de ramper... Lorene avait délibérément tourné sa chaise pour échapper au regard inquisiteur d'Oliver Shaw. Elle avait l'impression qu'il voulait la percer à jour, connaître ses moindres secrets. Il lui avait toujours inspiré de la crainte, mais avec les années, cette crainte s'était intensifiée, la plongeant dans un état de panique incontrôlable.

Elle fut soulagée lorsque M. Marshall reprit la parole. Penchée sur son travail, elle ne voyait plus le visage tant haï d'Oliver Shaw. Sally l'avait qualifié de séduisant, doté d'un charme dévastateur pour tenter d'intéresser Lorene.

Mais la jeune fille n'avait pas daigné regarder la photo qui ornait le dos du livre du fameux écrivain. Combien elle le regrettait à présent! Un simple coup d'œil lui aurait permis d'éviter le choc qu'elle avait eu et l'aurait préparée à ce pénible entretien.

Soudain, Oliver Shaw croisa ses longues jambes et elle se pétrifia sur son siège, prête à fuir. Dans son affolement, elle laissa glisser sa feuille. Elle se pencha et l'écrivain eut le même réflexe, mais il fut plus rapide qu'elle. Quand il la lui tendit, son bras effleura brièvement celui de Lorene. Ce contact, pourtant si léger emplit la jeune fille de terreur. Un instant, ses yeux reflétèrent son désarroi et sa haine. Tout cela n'échappa pas à Oliver Shaw; impassible, il l'examina avant de lui remettre son crayon.

Il n'avait pas changé, songea Lorene, la rage au cœur. En fait, non, il avait changé : il était devenu plus sûr de lui, plus séduisant aussi. Lorsqu'ils s'étaient rencontrés la première fois, elle avait deviné tous ces traits de caractère en lui, elle en avait éprouvé de la crainte. Et, profitant de son désarroi, il lui avait extorqué des renseignements... des indices qu'il avait ensuite utilisés contre elle, transformant sa vie et celle de sa mère en un véritable enfer...

Et d'ailleurs, se dit-elle avec amertume, pourquoi serait-il différent. Les six années écoulées n'avaient pas dû représenter grand-chose pour lui, alors que pour elle... La blessure qu'on lui avait infligée ne se cicatriserait jamais. L'adolescente ne s'était jamais épanouie en femme, le traumatisme subi avait été trop profond pour qu'elle puisse s'en remettre.

A l'âge de quinze ans, Lorene avait été propulsée dans le monde des adultes et cette brusque incursion l'avait profondément choquée. Après, elle n'avait plus été la même...

Avec des gestes mécaniques, elle se força à noter les paroles de son patron. Sally se plaignait toujours de son travail et qualifiait l'atmosphère à l'agence de « pesante », mais Lorene ne partageait pas cet avis. Pour elle, *Marshall et Marshall* représentait la sécurité, la sûreté dont elle avait tant besoin. Autrefois, Lorene avait ressemblé à l'insouciante Sally, autrefois aussi elle avait aimé rire et s'amuser mais cette époque était bien révolue désormais.

Elle éprouvait un vif soulagement lorsque son patron signala la fin de l'entretien. Quelque chose dans le regard d'Oliver Shaw lui avait fait pressentir le pire : il s'apprêtait sûrement à profiter de la première occasion pour la poursuivre et l'interroger, l'assaillir de questions comme il l'avait fait une fois... Mais Lorene n'était plus l'adolescente terrifiée, désorientée qu'il avait abusée; ses années de solitude l'avaient aguerrie et elle ne serait plus une proie facile. Jamais, non, *jamais,* elle ne se laisserait atteindre par cet homme! se jura-t-elle avec ferveur.

Lorsqu'elle passa la porte de son bureau, ses traits défaits et sa pâleur alertèrent immédiatement Sally. Les sourcils froncés, la jeune fille s'enquit :

– Mon Dieu, Lorene, que se passe-t-il? Vous êtes livide, vous n'allez pas mal au moins?

Puis, voyant le signe de dénégation de sa camarade, elle enchaîna, maîtrisant avec peine son excitation :

– Alors? Soyez gentille et avouez-moi tout. Je suis convaincue que vous avez été charmée par M. Graves. Est-il aussi séduisant que sur ses photos?

– Je ne sais pas, répondit Lorene du bout des lèvres. Je ne l'ai même pas regardé.

Sally esquissa une grimace de dépit sans songer une seule seconde à mettre en doute les paroles de la très sérieuse assistante de M. Marshall. Pourtant, elle avait menti. Lorene avait longuement épié le visage d'Oliver Shaw en quête d'une vague lueur de compassion ou de regret, en vain. Elle n'y avait trouvé que l'expression d'une insupportable arrogance.

Rompant le silence, Sally remarqua soudain :

– Enfin, c'est dommage! Je ne vais même pas avoir la chance de l'apercevoir. M. Marshall va sans doute le garder des heures avec lui. Vous a-t-il laissé beaucoup de travail?

– Seulement ces notes à dactylographier, déclara Lorene. Il va falloir que je me dépêche si je veux avoir fini à temps, malgré tout. Je compte partir tôt ce soir.

– Entendu, j'ai bien saisi le message! fit Sally en souriant. Je m'en vais, de toute façon, il faut que j'expédie le courrier.

Après son départ, Lorene se concentra sur sa tâche, ravie d'échapper un instant à ses souvenirs obsédants dans le calme et la solitude de son bureau.

De temps à autre, elle se surprenait à jeter des coups d'œil inquiets à sa montre et accélérait l'allure. Il était vital qu'elle ait terminé rapidement, elle ne tenait pas à subir une confrontation avec Oliver Shaw. C'était beaucoup trop risqué, elle n'avait pas encore eu le temps de se remettre de ses émotions et préférait fuir loin de lui.

Stimulée, elle dut battre des records de vitesse, ses doigts volaient littéralement au-dessus du clavier. Avec un soupir de soulagement, elle tira sa dernière feuille de la machine et se pencha pour ramasser la housse. A cet instant, Sally fit brusquement irruption dans la pièce, tel un ouragan, et s'écria :

– Dieu soit loué, vous êtes encore là! Oh, Lorene, c'est ce maudit photocopieur, il est en panne une fois de plus! John Lever a un besoin urgent de tirer un document et vous seule pouvez me sauver...

– C'est bon, je vais aller regarder, coupa-t-elle.

Lorene suivit Sally dans le couloir et s'arrêta subitement. Son sac! Elle l'avait laissé dans son casier, elle devait absolument le récupérer!

Percevant son hésitation, Sally la tira par la manche et lança d'un ton suppliant :

– Vite, nous n'avons pas une minute à perdre. Je n'ai pas envie de m'attirer les foudres de M. Lever!

Cédant aux instances de sa compagne, Lorene se décida à inspecter la machine. En fait, la panne ne fut pas facile à déceler et elle mit plus de temps que prévu à la réparer. Elle s'apprêtait à s'en aller mais se ravisa lorsque Sally lui demanda de vérifier si tout marchait bien. La jeune fille avait du mal à maîtriser son impatience; elle avait la désagréable impression que chaque minute comptait.

Une fois Sally satisfaite, elle se hâta de regagner son bureau. Elle tournait la poignée quand elle entendit des bruits de voix provenant de l'intérieur. Lorene s'apprêtait à opérer une prudente retraite mais se pétrifia en percevant la voix de son patron. Celui-ci avait passé la tête par l'entrebâilllement de la porte et s'exclamait :

– Ah, c'est vous, Lorene! J'étais justement en train de dire à monsieur Shaw que cela ne vous ressemblait pas de partir si tôt. Avez-vous terminé les notes?

Tout en se dirigeant vers son bureau, elle évita soigneusement de regarder dans la direction d'Oliver et tendit le dossier à M. Marshall. D'un geste vif, elle prit son sac et s'enquit d'une voix hésitante :

– Puis-je m'en aller à présent?

M. Marshall parut visiblement surpris de la voir manifester une telle hâte mais la sonnerie du téléphone vint l'interrompre avant qu'il n'ait pu répondre.

Lorene décrocha et reconnut Mme Marshall. Après s'être excusé auprès de son client, son patron annonça qu'il prenait l'appel dans son bureau. Affolée, la jeune fille courut presque vers la sortie mais en quelques enjambées, Oliver l'avait devancée, lui bloquant l'unique issue. L'espace d'un court instant, il la dévisagea avec attention et murmura dans un souffle :

– Lorene... C'est bien vous, n'est-ce pas?

Hypnotisée par l'intensité de son regard, elle fut

incapable d'articuler une seule parole. La phrase qu'il prononça ensuite la sortit brusquement de sa torpeur.

– J'aimerais vous parler. Je vais vous ramener chez vous.

– Non!

Sa réponse avait fusé comme un cri et les pupilles de Lorene s'agrandirent, trahissant son désarroi. Stupéfait par sa véhémence, il l'examina en fronçant les sourcils, notant au passage ses vêtements très stricts qui la vieillissaient et la tache d'encre qui maculait sa joue. Oliver tendit la main pour l'effacer, touchant furtivement son visage. Instinctivement, elle eut un mouvement de recul et vit sans comprendre sa bouche se durcir.

– Vous aviez de l'encre, jeta-t-il d'un ton bref. Regardez, fit-il en lui montrant son doigt taché de noir.

– Ah, oui... en effet. J'ai réparé la machine à photocopier et...

Les mots moururent au bord de ses lèvres. « Il faut que je m'échappe d'ici au plus vite », songea-t-elle, affolée. Mais comment? Il ne fallait surtout pas lui dévoiler son malaise. Frénétiquement, elle chercha un moyen de se retirer avec dignité.

– Lorene?

L'intonation tendre contenue dans sa voix l'écœura. Elle s'y était laissée prendre... autrefois.

– Je dois absolument vous parler, répéta-t-il avec insistance.

– Non! s'exclama-t-elle avec angoisse. Non, laissez-moi!

Lorene se rendit compte qu'elle s'était trahie, mais il était trop tard. Avec un intense soulagement, elle vit M. Marshall les rejoindre. Enfin, elle allait pouvoir s'éclipser! Décochant un faible sourire à son patron, elle prit son sac et, adressant un signe de tête en guise de salut à la ronde, elle se dirigea vers la porte. Elle tournait la poignée quand elle entendit Oliver Shaw déclarer d'un ton désinvolte :

– Désolé de vous abandonner, Monsieur Marshall. J'ai promis à votre assistante de la raccompagner et nous sommes pressés. Elle a un rendez-vous important, ce soir, paraît-il.

A ces mots, Lorene se glaça d'horreur. Quant à son patron, il la contempla avec un air ahuri qui, en d'autres circonstances aurait beaucoup amusé la jeune fille. Manifestement, l'idée que sa secrétaire puisse avoir des activités en dehors des heures de bureau ne l'avait jamais effleuré...

Lorene s'apprêtait à ouvrir la bouche pour protester mais Oliver Shaw la devança et promit d'appeler M. Marshall au sujet des notes dès qu'il les aurait parcourues. Avec un sourire, il se retira, entraînant Lorene inexorablement dans son sillage. Cette dernière fulminait, mais que faire? L'écrivain emprisonnait son bras comme dans un étau et elle ne voulait pas causer de scandale. Elle traversa l'entrée au pas de course, précédée d'Oliver, sous le regard médusé de la réceptionniste.

Une fois qu'ils furent dehors, elle se dégagea de son étreinte d'un geste brusque et explosa, les joues colorées par la colère :

– Mais pour qui vous prenez-vous, espèce de brute! Je n'ai absolument aucune intention de vous suivre où que ce soit!

Son accès de furueur ne parut pas l'impressionner, au contraire. Amusé, il remarqua :

– Ah, enfin! La dame de glace révèle sa vraie nature... Vous m'avez fait peur, Lorene; un moment, j'ai cru avoir affaire à une... anormale, à un mannequin frigide et sans vie, précisa-t-il en s'emparant de son poignet.

Ce contact arracha un cri de protestation à Lorene. Aucun homme ne l'avait approchée depuis... depuis...

– Ne me touchez pas! articula-t-elle entre ses dents, surprise de constater qu'il était devenu blême.

– Vous n'aimez pas qu'on vous touche, n'est-ce pas? fit-il en lisant la réponse à sa question dans ses yeux agrandis de frayeur. Bon sang, cela fait cinq ans que je vous cherche, le saviez-vous? *Cinq ans*, Lorene!

Son expression fermée parut le décontenancer et il se tut, à court de mots. Lorene en conçut une certaine satisfaction. Lui, l'écrivain, le brillant journaliste, muet! D'une voix implorante, il reprit :

– Lorene, je vous en prie, accordez-moi un instant.

– C'est non! Comment dois-je vous le dire?

Un passant les bouscula à cet instant, et Oliver surpris, relâcha son étreinte. Profitant de son inattention passagère, elle lui échappa et prit la fuite en courant, se fondant rapidement dans la foule dense qui se pressait sur le trottoir. Un taxi s'immobilisa soudain à sa hauteur et elle s'y engouffra en lui donnant son adresse. Sauvée! se dit-elle dans un soupir. Elle jeta un regard en arrière et aperçut furtivement le visage d'Oliver Shaw. La colère et l'incrédulité se peignaient sur ses traits séduisants et cette vue arracha un sourire de triomphe à la jeune fille.

2

Lorene fixa son assiette d'un air de dégoût. Elle n'avait pas faim, ni soif d'ailleurs. La tasse de thé qu'elle s'était préparée en arrivant avait refroidi sans qu'elle y touche. Fébrile, elle se mit à arpenter son appartement comme un fauve en cage. Au bout d'un long moment, sa décision fut prise. Comme une somnambule, elle se dirigea dans sa chambre et ouvrit l'armoire. Poussant les vêtements qui l'encombraient, elle s'agenouilla et retira un boîte en carton, cachée tout au fond.

On la lui avait remise à la mort de sa mère. Elle était au couvent à l'époque, et Mère Theresa avait voulu en brûler le contenu mais la psychologue était intervenue, prononçant le mot magique de « thérapie mentale » et on l'avait autorisée à la conserver.

Lorene les avait lus et relus inlassablement, analysant chaque terme contenu dans les articles jusqu'à ce que son esprit se brouille... Et aujourd'hui, elle allait les parcourir à nouveau.

Ses mains tremblaient tandis qu'elle ôtait l'album et les coupures de journaux jaunies. Elles étaient classées par ordre chronologique. Elle prit une profonde inspiration puis regarda la première.

« Une adolescente accuse son beau-père de viol. »

Le gros titre s'étalait en caractères gras. Dessous se

trouvait une photo d'elle à quinze ans. Le cliché était flou et passé mais on reconnaissait sa longue chevelure châtain aux reflets auburn qui cascadait sur ses épaules. Rachel Hartford, la psychologue qui s'occupait de son cas, tenait sa main. Pauvre Rachel, songea Lorene avec compassion, le résultat du procès l'avait emplie d'amertume. Ecœurée, elle avait même donné sa démission...

Dessous, elle trouva des articles assez brefs dans lesquels les journalistes racontaient tout ce qu'ils avaient pu glaner auprès de ses voisins ou des commerçants du quartier.

Ensuite venaient les coupures sur le procès. Lorene se mit à frissonner en se souvenant de cette odieuse épreuve. Accablée, elle ferma les yeux et laissa les réminiscences l'envahir... Rachel avait paru anxieuse en découvrant le nom de l'avocat qui défendait son beau-père. Il possédait une réputation redoutable et devait sûrement demander une fortune à ses clients. Où le mari de sa mère avait-il pu se procurer l'argent, lui qui en manquait toujours? C'était demeuré un mystère qu'elles n'avaient pas résolu. En tout cas, le brillant homme de loi avait manipulé l'adolescente à sa guise, interprétant ses paroles. Désorientée, elle était ensuite tombée dans le piège que lui avait tendu Oliver Shaw. Le jeune homme l'avait gentiment interrogée et d'une façon si habile que Lorene ne s'était rendu compte de rien. Aussi, lorsqu'elle avait lu l'article infâmant sur elle, signé de son nom, avait-elle reçu un choc. Et Oliver Shaw n'écrivait pas pour la presse à scandale, loin de là. C'était un professionnel dont le sérieux lui valait le respect de tous ses lecteurs.

Pour tenter de la préserver, on l'avait envoyée dans un home d'enfants; sa mère, gravement malade, ne pouvait s'occuper d'elle.

Lorene jeta un coup d'œil aux papiers qui jonchaient le sol et le passé revint la hanter. « Ne vous repliez pas sur vous-même, parlez de votre drame, exorcisez-le, sinon il vous poursuivra comme une ombre fidèle »... Elle se rappelait les paroles du psychiatre, ses tentatives pour la faire sortir de son hébétude. Mais l'adolescente, trop sensible et traumatisée, n'avait pu se résoudre à suivre sa thérapie. Peu à peu, elle était devenue renfermée, craintive. Lorene exhala un soupir. Si seulement, elle avait su qui était Jonathan Graves, elle aurait pu se préparer à l'affrontement au lieu de se laisser surprendre. Sa rencontre avait libéré en masse tout ce qu'elle essayait d'oublier depuis des années. Il avait servi de catalyseur en quelque sorte. A présent avec la force d'un raz de marée, les souvenirs affluaient...

Lorene avait treize ans lorsque ses grands-parents étaient morts; elle était alors une adolescente épanouie, vive, enjouée. Sa mère avait décidé de prendre des pensionnaires et la première personne qui s'était présentée avait été fort sympathique. Professeur dans un immense lycée, la jeune femme s'était prise d'amitié pour la timide Lorene. Malheureusement, elle ne s'était pas attardée. Nommée dans une autre ville, elle avait bientôt dû les quitter.

Elle n'avait pas été remplacée tout de suite et sa mère s'inquiétait. Un jour, en revenant de l'école, la jeune fille l'avait trouvée installée devant une tasse de thé à la cuisine en compagnie d'un inconnu. Lorene l'avait immédiatement détesté et n'avait pu cacher sa consternation en apprenant qu'il allait habiter chez elles.

Il se disait représentant et avait des horaires de travail assez bizarres, sinon fluctuants. En tout cas, elle pouvait être certaine de le voir avec sa mère chaque fois qu'elle arrivait du pensionnat. Lorene en voulait terriblement à l'étranger; l'heure du thé avait toujours été sacrée pour la mère et sa fille : c'était le moment de la journée où elles bavardaient à bâtons rompus, se racontant les menus incidents qui s'étaient déroulés dans leur existence. Et puis, elle éprouvait pour lui une sorte de répugnance physique. A peine plus grand que sa mère, il était trapu et un peu chauve, déjà. C'était surtout son regard qui la mettait mal à l'aise, un regard avide, lubrique. Il avait une façon de la scruter avec insistance qui la faisait rougir. Mais sa mère ne paraissait rien remarquer de tout cela. Lorene hésitait à s'ouvrir à elle. A quoi bon? Elle n'aurait pas compris. Depuis l'arrivée de Bill Trenchard, elle s'était métamorphosée, rajeunie. Son nouveau pensionnaire l'avait envoûtée. Un soir, en rentrant plus tôt que de coutume de l'école, elle les avait surpris main dans la main. Sa mère affichait un air coupable. L'expression triomphante de Bill Trenchard avait écœuré la jeune fille. Instinctivement, elle devina qu'il venait d'embrasser sa mère et cette pensée la révolta.

Lorene n'avait pu confier son désarroi à personne. Sa timidité l'avait empêchée de se faire de proches amies à l'école; elle fut donc forcée d'accumuler toute sa rancœur au fond d'elle-même. La nuit, son sommeil était agité. Elle se reprochait de ne pouvoir apprécier l'homme que sa mère aimait bien. Mais sa haine demeurait trop profondément ancrée pour qu'elle puisse se raisonner. Si seulement il pouvait disparaître à jamais! priait-elle avec ferveur. Et comme pour la punir, sa mère vint lui annoncer un jour qu'elle allait épouser Bill Trenchard.

– Je t'en prie, ma chérie, essaie de me comprendre, avait-elle supplié en voyant sa fille pâlir. Je suis restée seule si longtemps et Bill est si drôle, si vivant. Nous formerons une famille unie, Bill t'adore, il me l'a dit. Bien sûr, cela te changera au début parce que tu n'as jamais eu de père...

– Bill n'est pas mon père, avait coupé Lorene avec amertume, juste au moment où il faisait irruption dans la cuisine.

L'espace d'un instant, elle crut qu'il allait la frapper. Il la fixa d'un air courroucé et elle recula, espérant ardemment que sa mère se raviserait et découvrirait la vraie nature de celui qui allait partager sa vie. L'adolescente s'était enfuie et elle avait entendu Bill rassurer sa mère.

– Ne vous inquiétez pas, elle s'y fera. En fait, elle est sans doute jalouse de vous. Lorene me trouve attirant sans oser se l'avouer. A cet âge, les filles commencent à s'intéresser à ces choses-là.

Ces paroles avaient outré Lorene. Elle, le trouver attirant! Quelle horreur! Elle s'était jetée sur son lit en sanglotant, bouillonnante de rage impuissante. Il n'y avait pas de mot pour évoquer le dégoût que lui inspirait son futur beau-père. Physiquement déjà, il la révulsait. Bill n'était pas un homme très pudique et elle l'avait souvent vu sortir de la salle de bains, avec pour tout vêtement une serviette drapée autour des reins. Lorene avait détourné les yeux, choquée. Tout en lui respirait la grossièreté : son corps trapu, sa nuque épaisse et ses mains larges... Comment sa mère pouvait-elle supporter d'être touchée par cet individu? D'être intimement enlacée?... Lorene ferma les paupières en frissonnant.

Un mois après, la cérémonie de mariage eut lieu dans une petite mairie et se déroula dans la plus stricte intimité. Lorene y assistait, la mort dans l'âme, incapable de masquer sa réprobation. Bill lui avait offert une robe pour l'occasion qu'elle trouvait horrible : une robe très courte qui dévoilait ses longues jambes. Lorene se sentait terriblement mal à l'aise, jamais elle n'avait porté une tenue aussi osée! Ses longs cheveux aux reflets auburn cascadaient librement sur ses épaules et à l'époque, Lorene ne s'était pas rendu compte à quel point elle était provocante. Elle en avait seulement pris conscience beaucoup plus tard en examinant la photo avec des yeux d'adulte.

Bill les avaient emmenées au restaurant et Lorene se souvenait du sourire radieux de sa mère et de son air heureux. Si seulement cela avait pu durer!

Après, la jeune fille était entrée chez elle préparer ses affaires. Les nouveaux mariés ne partaient pas en voyage de noces et Barbara avait confié sa fille pour quelques jours à des voisins. Lorene descendait l'escalier, chargée de sa valise et eut la surprise de trouver son beau-père dans la cuisine, seul.

– Ta mère est en haut, annonça-t-il en voyant son air étonné.

Ses yeux étaient glauques, son visage congestionné; visiblement, il avait bu plus que de raison. D'une voix faussement joviale, il lança :

– Approche-toi, Lorene. J'ai bien droit à un petit baiser puisque je suis ton père maintenant.

La jeune fille se figea, sur la défensive. Une voix au fond d'elle-même lui soufflait de fuir au plus vite.

– Eh bien? marmonna-t-il. Toujours en train de bouder à ce que je constate...

Le mutisme hostile de Lorene l'irrita et il reprit d'un ton agressif :

– Ne crois pas que je n'aie pas deviné ton petit jeu. En fait, tu aimerais bien te trouver à la place de Barbara, n'est-ce pas?

Pétrifiée, Lorene ne put articuler une parole. D'un mouvement vif, elle tourna les talons et voulut sortir, mais Bill fut plus rapide qu'elle. Il la força à reculer contre l'évier, l'empêchant de bouger.

– Pas besoin d'être jalouse, murmura-t-il d'une voix pâteuse. Je suis un homme très généreux de nature... très généreux...

Terrifiée, Lorene vit ses mains larges s'abattre sur ses épaules et ferma les paupières. Elle perçut son haleine fétide sur sa joue tandis qu'il grondait :

– Allons, un effort! Juste un baiser, Lorene...

Elle essaya de hurler mais aucun son ne sortit de sa gorge. Si seulement sa mère pouvait apparaître! Bill caressait son cou et sa bouche se posa tout près de la sienne. Il fallait que ce supplice cesse! songea-t-elle, affolée. Une minute de plus et elle allait s'évanouir.

Juste au moment où Lorene abandonnait tout espoir, sa mère poussa la porte de la cuisine. Bill la relâcha immédiatement, et, avant que Barbara ait eu le temps de poser la moindre question, il s'était emparé de la valise de la jeune fille et l'entraînait dehors.

Cette nuit-là, Lorene ne dormit guère, très affectée par l'incident. La même question assaillait sans cesse son esprit : comment sa mère avait-elle pu épouser un individu aussi ignoble que Bill Trenchard? Elle aurait aimé confier sa peine et son désarroi et à cet instant, elle pleura amèrement la mort de ses grands-parents. Avec angoisse, elle songea à ce que lui réservait l'avenir.

Par pudeur, elle ne raconta à personne à l'école tous les tourments qu'elle endurait à cause de son beau-père. Sous prétexte qu'elle était sa fille, il la touchait, la prenait dans ses bras et la serrait sous le regard attendri de sa mère. Mais au grand soulagement de Lorene, il ne tenta plus jamais de l'embrasser.

Pour elle, l'attitude de Bill était claire : il la harcelait pour la punir, furieux d'être rejeté par sa « fille ». Alors pour l'apaiser, Lorene finit par l'appeler « père » comme il le lui demandait. Mais sa tentative n'eut pas l'effet escompté, Bill demeurait toujours aussi odieux. Aussi, lorsqu'il s'absentait plusieurs jours de suite pour son travail, Lorene en éprouvait-elle un intense soulagement, mais son répit était en général de courte durée.

Bill et Barbara étaient mariés depuis six mois à peine quand il annonça un soir qu'il avait été renvoyé. De toute façon, avait-il ajouté, son métier de représentant ne lui plaisait pas du tout.

La nouvelle avait perturbé Barbara dont les traits s'étaient assombris. Avec un air désolé, elle avait expliqué à sa fille qu'ils n'auraient plus les moyens de la laisser à l'école privée de Hampstead. A la prochaine rentrée scolaire, Lorene devrait aller à l'école publique, L'adolescente avait eu beaucoup de mal à s'adapter. Le collège était immense, les élèves dix fois plus nombreux. Isolée au milieu de cette foule d'étrangers, elle avait eu l'impression de perdre son identité, sa personnalité. De caractère hyper-sensible, elle s'était encore plus repliée sur elle-même. Et en sortant de ce monde hostile, elle retrouvait l'atmosphère opressante qui régnait désormais chez elle. Les rapports entre Bill et Barbara s'étaient dégradés depuis que son beau-père avait commencé à boire. Pris de colères violentes, il invectivait sa femme durement et Lorene, le cœur brisé, entendait sa mère sangloter dans sa chambre.

Un après-midi, en revenant plus tôt de l'école, elle trouva Bill allongé dans un fauteuil devant la télévision et sa mère alitée.

– Elle est furieuse parce que j'ai décidé de sortir ce soir, déclara Bill d'une voix incertaine, signe qu'il était déjà ivre. Si sa compagnie était plus divertissante, je n'éprouverais pas le besoin de partir, ajouta-t-il d'un air maussade. Vous vous ressemblez bien toutes les deux! Aussi collet monté l'une que l'autre... Vous ne savez pas vous amuser et j'ai bien envie de vous apprendre à vivre avant qu'il ne soit trop tard!

Lorene prit la fuite, craignant qu'il ne mette sa menace à exécution et s'en alla rejoindre sa mère. Barbara était d'une pâleur alarmante; elle semblait à bout de forces et Lorene n'eut pas le cœur de lui parler de Bill.

Depuis qu'elle était à l'école publique, la jeune fille avait grandi, mûri; elle avait désormais conscience que la conduite de son beau-père à son égard n'était pas normale.

Mais s'en ouvrir à Barbara n'aurait servi qu'à s'attirer les foudres de Bill. Sa mère était bien trop loyale pour le critiquer mais Lorene était convaincue que Barbara n'était pas heureuse. Pour se défendre, l'adolescente s'appliquait à éviter son beau-père. Elle avait développé une sorte de sixième sens qui lui permettait de détecter sa présence et de se tenir à l'écart. A l'insu de tous, elle avait acheté un verrou qu'elle avait posé sur la porte de sa chambre. Chaque soir, elle prenait soin de le pousser avant d'aller se coucher.

Bill était toujours au chômage et se satisfaisait tout à fait de son sort. Ils vivaient donc tous les trois grâce à la modeste pension de Barbara, ce qui n'était guère suffisant. Pour combattre sa morosité, Bill s'était mis à boire de plus en plus et dans les moments de crise, se révélait d'une violence inouïe. Il se mettait alors à casser tout ce qu'il trouvait sous sa main et s'en prenait à Lorene si la jeune fille avait eu le malheur d'être présente. Barbara s'alitait de plus en plus fréquemment mais interdisait à sa fille de parler de Bill.

Lorene fêta son quatorzième anniversaire et Barbara lui suggéra d'inviter des amis à la maison; l'adolescente refusa, craignant d'exposer ses camarades aux avances intempestives de son beau-père. Peu à peu, sans s'en rendre compte, elle dérivait dans un monde solitaire, coupée des autres, un monde peuplé de cauchemars qui tournaient autour du personnage de son odieux beau-père.

Mais son secret allait être bientôt découvert. Un jour, pendant un cours, le professeur d'éducation physique de Lorene remarqua un vilain hématome sur son bras. Il avait été provoqué par Bill, dans un accès de fureur, sous prétexte que la jeune fille ne l'avait pas servi assez vite. Intriguée, Mme Kellaway soupçonna quelque chose. Mais quand elle questionna son élève, celle-ci répondit en rougissant :

– C'est moi... Je... Je me suis cognée contre une porte. Je n'ai pas mal, je vous assure.

Mme Kellaway demeura perplexe et mentionna le problème à la directrice quelque temps plus tard.

– Bien entendu, il peut tout à fait s'agir d'un accident, convint-elle, et puis, Lorene est assez âgée pour se défendre ou pour se confier à quelqu'un...

Elle marqua une pause et enchaîna :

– Mais d'un autre côté, son attitude m'inquiète. Cette enfant est craintive, renfermée. Ce serait peut-être une bonne idée de rendre visite à ses parents.

La directrice donna son accord à contrecœur.

Il ne restait plus qu'une semaine avant les grandes vacances et Lorene révisait en vue des examens, oppressée par la chaleur moite et étouffante qui régnait sur Londres en ce début d'été. Comme elle aurait aimé qu'un orage éclate! se dit-elle en revenant chez elle après une longue journée à l'école. Sa fatigue était telle qu'elle avait la bizarre impression de ne plus avancer. Et puis, chaque pas la rapprochait de Bill et elle craignait de se retrouver face à face avec lui. Il était d'une humeur exécrable ces derniers temps et ne l'épargnait guère. Maintenant que sa mère était alitée, il avait recommencé à l'importuner, sûr de pouvoir agir en toute impunité. Le regard qu'il posait sur elle la terrorisait. Un regard concupiscent qui ne laissait aucun doute possible sur ses intentions... Lorene avait assez grandi pour s'en rendre compte.

Quand elle entra dans la maison, la jeune fille découvrit avec un intense soulagement que la cuisine était déserte. En général, Bill avait coutume de l'y attendre et lui ordonnait de préparer du thé tandis qu'il critiquait Barbara de façon honteuse. Lorene était forcée d'écouter, la rage au cœur.

Mais aujourd'hui, la chance était de son côté : il n'y avait personne dans la salle à manger non plus. Rassurée, elle monta les escaliers d'un pas alerte. Sa mère était couchée; ses traits tirés faisaient peine à voir. Barbara n'était plus que l'ombre d'elle-même. Malgré les supplications de sa fille, elle refusait de consulter un docteur; pourtant, son état était grave. En réponse à la question de Lorene, elle annonça que Bill était sorti. Mais l'anxiété qui avait assombri les yeux de l'adolescente ne lui avait pas échappé.

Rassérénée, Lorene lui proposa de monter un plateau de thé.

– Nous pourrions bavarder et je te raconterai ma journée comme nous le faisions autrefois...

Sa mère ne releva pas l'allusion et se contenta de dire :

– En effet, ma chérie, ce serait une excellente idée...

– Entendu, je vais seulement prendre une rapide douche avant, déclara Lorene. Il fait si chaud!

En chantonnant, elle se dirigea vers la salle de bains. Quand elle voulut fermer la porte, le verrou refusa de marcher. « Zut! » marmonna-t-elle, « Bill a encore oublié de le réparer ». Pourtant, cela faisait un bon moment qu'il avait promis de s'en occuper. Elle se déshabilla et tira soigneusement le rideau de douche. Tandis qu'elle se savonnait, Lorene examinait son corps avec curiosité. Elle avait énormément changé en l'espace de quelques mois. L'adolescente mince et un peu efflanquée s'était transformée en une gracieuse jeune fille aux courbes harmonieuses. Ses longues jambes, qui lui avaient valu de nombreux sobriquets quand elle était petite, possédaient un galbe parfait et faisaient l'envie de ses camarades de classe. Avec un sourire, elle finit de se rincer, savourant la fraîcheur des gouttelettes d'eau froide sur sa peau. Soudain, un bruit bizarre l'alerta et elle leva les yeux. Sur le seuil se tenait Bill. Il la contemplait avec un regard brûlant, la détaillant des pieds à la tête sans vergogne.

Pétrifiée, elle demeura un instant sans bouger, privée de réaction. Son beau-père avait bu, son visage congestionné en était la preuve évidente; d'un geste lourd, il ferma la porte et s'y adossa. Lorene se ressaisit subitement et tendit le bras pour prendre le drap de bain. Trop tard! Malgré son état d'ébriété avancé, Bill avait été plus rapide et la lui déroba. D'une voix pâteuse, il jeta :

– Voyons, Lorene, il ne faut pas avoir honte de se montrer nue devant ton père. Tu es vraiment trop pudique, voilà le problème...

– Vous n'êtes pas mon père! s'exclama-t-elle dans un sursaut de révolte, terrifiée par la façon dont il la regardait.

Elle avait l'horrible impression de vivre l'un de ses affreux cauchemars et lorsqu'il avança la main vers elle, la jeune fille recula, tremblant de tous ses membres, la peur assombrissant ses grands yeux si expressifs.

Sa réaction mit Bill hors de lui. D'une voix grinçante, il lança :

– Ah! Tu te crois supérieure à moi, tu me méprises comme ta sotte de mère! Eh bien, nous allons voir! Je vais te réduire à ma merci, petite idiote, et tu regretteras ton arrogance!

– Laissez-moi! hurla-t-elle, terrorisée.

– Je t'en prie, ne joue pas l'innocente avec moi, gronda-t-il, furieux. Toutes les mêmes! En fait, je sais très bien ce que tu veux, j'ai bien vu les regards que tu me lançais, espèce de dévergondée!

– C'est faux! Je vous déteste, je vous hais, cria-t-elle avec véhémence. Vous me dégoûtez!

Lorene regretta aussitôt ses paroles malheureuses qui eurent pour seul effet de décupler la rage de son beau-père. Elle poussa un long cri de frayeur quand il la saisit par le bras et la sortit de force de la douche. Un rictus déformait sa bouche et ses yeux injectés brillaient d'une lueur inquiétante.

– Je suis ton père, Lorene, siffla-t-il, et tu dois m'obéir. J'ai parfaitement le droit de te châtier si tu te rebelles. Est-ce vraiment ce que tu veux? Dis-le moi.

Tout en parlant, il secouait violemment la jeune fille et tentait d'ôter la ceinture de son pantalon. Livide, elle se crut sur le point de défaillir.

– Allons, ma fille, avoue-le! grommela-t-il. Tu me désires autant que je te désire. Tu meurs d'envie que je t'initie aux plaisirs de l'amour...

Au bord de la nausée, Lorene trouva cependant la force de hurler à nouveau quand il posa sa main sur sa poitrine. Sa bouche parcourut avidement sa peau nacrée, et ce contact répugnant mit l'adolescente au supplice. Galvanisée, elle hurla de plus belle. Son beau-père la prit par le bras, et dans sa rage, la jeta presque au sol.

– Ne me force pas à me mettre en colère, Lorene. Tu m'as assez provoqué et tu vas avoir ce que tu mérites! gronda-t-il d'une voix altérée.

Pour l'immobiliser plus efficacement, il s'allongea sur elle. Sa proximité écœura la jeune fille et elle se sentit devenir rigide de peur; son esprit embrumé sombrait dans une insidieuse léthargie. Rassemblant ses dernières forces, elle ouvrit la bouche pour crier mais Bill s'empara de ses lèvres avec sauvagerie et la bâillonna. La vue de Lorene se brouilla et avec une terrifiante certitude, elle sut qu'il allait la violer et qu'elle ne pourrait rien pour l'en empêcher... A cette pensée, des larmes d'humiliation se mirent à rouler sur ses joues et la terreur qu'elle ressentait la paralysait totalement. Dans l'attente atroce de ce qui allait se passer, Lorene se trouvait incapable de réagir, victime de cet individu ignoble qui avait l'audace de se considérer comme son père...

Au moment où elle perdait tout espoir, Lorene entendit sa mère l'appeler d'une voix anxieuse. Quelques secondes après, la porte de la salle de bains s'ouvrit et Barbara apparut. Lorene surprit le regard atterré qu'elle posait sur la scène : sa fille étendue par terre, jambes écartées, immobilisée par le corps trapu de son mari.

Il y eut un instant de silence pesant pendant lequel chacun sembla figé de stupeur puis Bill reprit ses esprits. Avec des mouvements lourds et maladroits, il se remit péniblement debout. Lorene, submergée par un cuisant sentiment de honte, n'osait bouger. Elle vit sa mère se ressaisir et la regarder avec des yeux accusateurs. Pour elle, aucun doute possible : sa fille était fautive. Elle l'avait décidé une fois pour toutes, la condamnant sans appel. Lorene, en déchiffrant son regard, faillit éclater en sanglots.

Leur échange muet fut interrompu par Bill qui marmonnait d'une voix geignarde :

– Ce n'est pas ma faute, Barbara, je te le jure! Oh, si tu savais comme elle m'a harcelé... J'ai vécu un véritable enfer. Mais elle était d'une habileté diabolique! Profitant de tes absences pour me tourmenter, elle se promenait sans cesse dans des tenues provocantes... Dieu sait si j'ai essayé, mais je n'ai pas pu résister. J'ai eu un moment d'égarement et elle m'a supplié...

Lorene voulut réfuter ses monstrueuses accusations, plaider sa cause auprès de Barbara, mais aucun mot ne franchit ses lèvres. tout n'était qu'odieux mensonges, jamais elle n'aurait pu encourager Bill, mais sa fierté lui interdit de s'abaisser à se justifier.

Muette, elle vit sa mère quitter la salle de bains, suivie de Bill. Son beau-père se retourna juste avant de sortir pour lui décocher un coup d'œil lourd de menace. « Tu ne t'en tireras pas si facilement » semblait-il lui dire. « Il y aura une prochaine fois! »

Cette nuit-là, Lorene fut incapable de fermer l'œil. Elle avait mis le verrou à sa porte mais il paraissait une protection bien dérisoire à présent. Au moindre bruit suspect, elle sursautait, redoutant le pire. Au petit matin, elle s'habilla dans sa chambre et partit tôt pour l'école, préférant utiliser les douches du lycée plutôt que de renouveler la sinistre expérience de la veille. Son corps portait la marque des mauvais traitements de Bill : des ecchymoses violacées marbraient sa peau et elle grimaça de dégoût en les apercevant.

Lorene eut du mal à se concentrer en classe. Heureusement, les deux derniers cours étaient consacrés à la gymnastique. Au beau milieu de l'heure, la directrice fit irruption dans le gymnase, accompagnée d'un inspecteur, du moins, c'est ce qu'apprit Lorene par la suite.

On lui demanda de faire une démonstration au cheval d'arçon. L'adolescente s'exécuta à contrecœur, terrorisée à la pensée que cet inconnu, cet homme, la regardait attentivement. Tremblante, elle s'élança, fit un faux pas et aurait pu se faire très mal si l'inspecteur ne l'avait vivement saisie par le bras pour amortir sa chute. Traumatisée par l'incident de la veille, elle revit l'espace d'un instant les traits grossiers de son beau-père qui se substituaient à ceux de l'inconnu et hurla, au bord de l'hystérie :

– Lâchez-moi! Non!... *Non*!

Puis, elle perdit connaissance. Quand elle revint à elle, la jeune fille se trouvait dans le bureau de la directrice. Mme Kellaway scrutait son visage avec inquiétude mais l'homme avait disparu. Lorene reconnut aussi l'infirmière et fut présentée à une psychologue du nom de Rachel. Elle ne prit pas tout de suite conscience de ce que sa présence impliquait et se contenta de lui sourire faiblement.

La directrice se racla la gorge, visiblement embarrassée, et commença d'un ton où perçait de la bienveillance :

– Eh bien, Lorene... Rassurez-vous, nous sommes là pour vous aider. Mme Kellaway m'a déclaré très récemment que vous aviez un vilain bleu sur votre bras et aujourd'hui, vous vous êtes évanouie aussi nous...

La psychologue l'interrompit d'une voix douce :

– En fait, ce que Miss Laker essaie de vous dire est simple : nous craignons que quelqu'un ait tenté de vous agresser, de vous violer...

Elle fit un signe apaisant à l'adresse de Lorene qui s'apprêtait à protester en enchaîna fermement :

– Oui, je m'en doute, vous préférez ne pas en parler mais, vous n'êtes pas la seule à qui une telle mésaventure est arrivée et vous ne serez hélas pas la dernière. Nous voulons seulement vous aider. Vous savez sans doute qu'il est interdit pour un homme d'avoir des relations avec une mineure... Au fait Lorene, auriez-vous un petit ami un peu persistant?

Elle parvint à secouer la tête en signe de dénégation, dévorée par une brûlante honte. Comment pourraient-ils se douter de son humiliation? Lorene se sentait avilie, souillée; son corps lui faisait horreur. Mais comment l'expliquer à ces gens?

La voix de la psychologue vint la sortir de sa torpeur. Gentiment, elle déclara :

– Vous allez suivre l'infirmière, elle va vous examiner. Nous vous reverrons tout à l'heure.

Hébétée, l'adolescente s'exécuta. Une fois à l'infirmerie, elle fut saisie d'une violente nausée dès que la jeune femme procéda à son examen. De retour dans le bureau de la directrice, elle eut du mal à se concentrer et semblait flotter sur un nuage.

– Votre agresseur n'a pas porté atteinte à votre innocence, l'infirmière vient de le confirmer, remarqua Rachel. Mais nous sommes convaincus que vous n'étiez pas consentante, alors que s'est-il passé?

Lorene aurait tant voulu leur raconter son drame mais les avertissements répétés de Bill revenaient à sa mémoire :

« Si tu dévoiles la vérité, personne ne le croira ». Comme si elle avait deviné ses pensées, la psychologue intervint :

– Vous avez un beau-père, Lorene... Est-ce lui?

A ces mots, elle fondit en larmes et entre deux sanglots, Rachel lui arracha l'histoire. Après l'avoir réconfortée, elle décréta avec fermeté :

– Ecoutez-moi bien, Lorene. Surtout rappelez-vous une chose : vous n'êtes en aucun cas fautive. Surtout, n'allez pas rejeter le blâme sur vous.

Elle échangea un regard plein de compassion avec Miss Laker et articula d'un ton empreint de mépris :

– Les hommes comme lui ne devraient pas exister. Quand je pense au mal qu'il aurait pu faire...

Puis, se tournant vers la jeune fille, elle reprit :

– Pour votre propre tranquilité, il serait préférable de partir de chez vous un moment. Nous ne prenons pas cette mesure pour vous punir mais simplement pour vous protéger.

– Ma mère... balbutia faiblement Lorene.

– Ne vous inquiétez pas, nous la mettrons au courant.

Lorene n'avait rien ajouté, soulagée à la pensée que l'épreuve se terminait enfin. Comme elle s'était trompée! En fait, le cauchemar venait à peine de commencer...

3

Les Services Sociaux avaient placé Lorene dans une famille d'accueil. Éloignée de ses camarades de classe, l'adolescente avait ainsi pu échapper à leur curiosité. De plus, Mme Kellaway lui rendait régulièrement visite.

En revanche, sa mère ne vint pas une seule fois. Comme la jeune fille s'en étonnait, Rachel avait rétorqué qu'elle était malade et ne quittait pas son lit.

– Tâchez de la comprendre, avait-elle demandé à Lorene. Barbara se sent terriblement coupable de vous avoir exposée à ce monstre de Bill Trenchard mais comme elle n'a pas le courage de reconnaître la culpabilité de son mari, elle préfère reporter le blâme sur vous. Au fond d'elle-même, elle sait bien que vous n'êtes pas fautive.

– Et c'est pour cela qu'elle ne veut pas me voir? avait murmuré Lorene, la gorge nouée par les sanglots.

Rachel exhala un soupir. Le cas de Lorene était l'un des plus tristes dont elle ait eu à s'occuper. La pauvre enfant sortait traumatisée de ce lamentable épisode qui risquait fort de laisser de graves séquelles pour l'avenir alors que le coupable continuait de vivre en toute impunité...

– Ta mère est une personne au tempérament faible, expliqua-t-elle. Elle a besoin de se reposer sur quelqu'un.

« Mais moi aussi! » s'était dit Lorene, désemparée. Que

n'aurait-elle donné pour se confier à une âme compatissante! Hélas, il n'y avait personne et à partir de cet instant, elle apprit qu'il lui faudrait désormais compter uniquement sur elle-même. Lentement, elle se mit à se méfier systématiquement des autres.

– Nous avons l'intention de poursuivre Bill Trenchard en justice. Il est coupable d'une tentative de viol sur une mineure et doit être puni pour son crime. Vous le comprenez, n'est-ce pas Lorene? Si nous n'agissons pas, il risque de s'attaquer à une autre victime.

– Faudra-t-il que je raconte aux gens ce qui m'est arrivé?

– Oui, mais l'épreuve sera récompensée, je vous le promets. Vous serez lavée de tout soupçon.

Lorene avait donné son accord. Elle faisait entièrement confiance à Rachel et avait appris à aimer et à respecter cette femme qui l'avait tant aidée. Naïvement, elle était persuadée que la vérité serait reconnue et, malgré son appréhension de passer au tribunal, elle avait accepté.

Les journaux s'emparèrent de l'affaire; les gardiens de Lorene s'efforcèrent de cacher les articles mais l'avocat et Rachel insistèrent pour qu'elle les lise.

– Votre beau-père va tenter de se défendre en disant que vous l'avez provoqué. Cela me gêne mais je dois vous poser la question, avait déclaré l'avocat. Était-ce le cas?

La lueur de dégoût qui passa dans le regard de la jeune fille suffit à le convaincre.

– Je déteste ce genre d'affaires, avait-il confié un peu plus tard à Rachel. On m'a dit que M. Trenchard a fait appel à Rowland Blandish. C'est un homme de loi réputé pour ces cas particuliers. Je doute qu'il acquitte son client mais il va tout faire pour prendre Lorene en défaut. Je la préparerai du mieux que je pourrai car il ne l'épargnera pas...

– Mais enfin, il est coupable, s'était récriée Rachel, ulcérée. Il a failli détruire cette enfant à jamais. Elle est si sensible !

– C'est bien là ce qui me préoccupe, avait avoué l'avocat. Rowland va l'accabler. Quant à la mère, son attitude n'est guère positive : elle refuse de me voir et m'a révélé qu'elle avait le cœur fragile.

– Elle ne veut pas communiquer avec sa fille, fit Rachel, et cela n'a rien d'étonnant. Barbara sait très bien ce qui s'est passé mais elle préfère se voiler la face et se murer dans le silence. De plus, il ne s'agit pas d'inceste dans ce cas mais de tentative de viol.

– Ce qui est bien plus difficile à prouver, nota l'avocat, sourcils froncés. Il y a eu pas mal d'affaires similaires ces temps-ci et la publicité tapageuse qu'elles ont suscitée dans la presse a vivement irrité les juges. Beaucoup d'accusations se sont révélées sans fondement, uniquement motivées par des sombres histoires de vengeance...

– Mais dans le cas de Lorene... coupa Rachel.

– Rowland Blandish fera de son mieux pour noircir le caractère de Lorene, il va la dépeindre sous les traits d'une adolescente avide d'expérience. Et sa version sera plausible, Lorene est très attirante et mûre pour son âge.

– C'est vrai, reconnut Rachel à contrecœur. J'ai très peur pour elle.

Par bonheur, Lorene ne sut jamais rien des angoisses qui assaillaient la psychologue. L'attitude de sa mère l'avait profondément blessée, arrivant même à la faire douter d'elle-même. Avait-elle encouragé son beau-père sans bien s'en rendre compte? Avait-elle dit quelque chose qu'il aurait pu mal interpréter?

En tout cas, depuis l'épisode, Lorene avait développé un profond dégoût pour son corps. Elle s'efforçait de le camoufler de son mieux et s'entêtait à porter un jean trop grand pour elle et d'immenses sweat-shirts pour dissimuler ses formes. Mme Lee, la gardienne de l'adolescente fit part de ses inquiétudes à Rachel qui délégua un psychiatre. Lorene refusa de lui parler, plongée dans un mutisme hostile.

Le jour tant redouté arriva. La salle du tribunal fourmillait de monde et Lorene dut affronter une meute de journalistes. Comme l'avait prédit l'avocat, Rowland Blandish accabla la jeune fille, se lançant dans une violente diatribe pour critiquer son attitude honteuse. Il fut d'une telle virulence que Lorene fondit plusieurs fois en larmes, atterrée de le voir ainsi déformer la vérité. Chaque fois qu'elle dut intervenir, elle parvint à peine à articuler une réponse cohérente, ce qui ne joua certes pas en sa faveur. Rachel, impuissante, assistait au spectacle.

Le deuxième jour, M. Blandish insista pour que Lorene soit habillée « correctement » et lui fit apporter des vêtements. Elle fut donc forcée de mettre un tee-shirt trop petit pour elle et une jupe courte qui dévoilait ses longues jambes. Lorene ne reconnut pas l'étrangère qui lui faisait face quand elle s'examina dans le miroir. Ses joues étaient écarlates, elle avait tellement honte! Était-ce bien elle cette jeune fille svelte et élancée au visage fin et délicat auréolé d'une masse de cheveux châtain aux reflets auburn?

Tête basse, elle alla s'asseoir à sa place et ne vit pas le sourire triomphant de M. Blandish. Plus tard, elle comprit pourquoi il avait tenu à ce qu'elle soit ainsi accoutrée. Dans un discours plein de feu, il implora la clémence des juges en décrivant le charme de Lorene. Comment un homme aurait-il pu y résister? disait-il. Comment ne pas céder à un moment d'égarement? Et puis, Bill Trenchard n'avait aucun lien de sang avec sa belle-fille, ajoutait-il perfidement...

Les accusations se succédèrent; l'avocat de la défense

parsema sa plaidoirie d'insinuations subtiles à tel point que Lorene se crut finalement entièrement fautive.

L'audience fut levée et le jury se retira pour délibérer. Leur verdict stupéfia l'adolescente : ils la déclaraient coupable et acquittaient Bill Trenchard! Dans un état de stupeur proche de la transe, elle quitta le tribunal, accompagnée de Rachel qui cachait mal son indignation.

Aussitôt après, les journaux redoublèrent de véhémence; les articles sur le viol et ses conséquences s'étalèrent sur toutes les pages. La saison était plutôt creuse et ils accordèrent une importance excessive à l'événement. Durant tout ce temps-là, Lorene se réfugia dans le silence.

Les juges avaient décidé de l'envoyer dans un établissement spécialisé loin de chez elle. Un jour, n'y tenant plus, elle résolut de retourner à Hampstead. Sa mère ne s'était pas manifestée une seule fois depuis le début du jugement et Lorene voulait la voir.

Elle trouva Barbara alitée; son visage aux traits tirés exprimait une lassitude extrême. Quand elle aperçut sa fille, elle se détourna ostensiblement et murmura d'une voix rauque :

– Comment as-tu osé revenir ici après ce qui s'est passé? Comment as-tu *osé?*

– Mais, maman, tu as toi-même assisté à la scène et... balbutia Lorene, atterrée.

– Bill a raison, coupa Barbara d'une voix grinçante de mépris. Tu n'es qu'une garce! Dévergondée, menteuse, fausse... Tu as agi de façon impardonnable; dorénavant, je ne te considère plus comme ma fille.

Ces paroles atteignirent Lorene en plein cœur. Barbara avait raison : elle n'était pas digne d'être sa fille, mais indigne de vivre... Désespérée, elle s'enfuit en courant de la maison. La vue brouillée par les larmes, elle traversa la rue sans remarquer la voiture qui arrivait à vive allure. Elle perçut un strident crissement de freins et se sentit brusquement poussée en arrière. Un homme la sauvait de la mort et l'emprisonnait dans une étreinte violente qui lui coupa le souffle. Au bord de la crise d'hystérie, elle se mit à hurler et bourra son torse de coups de poings rageurs. Elle haletait lorsqu'il la relâcha.

– Petite idiote! gronda-t-il. Vous auriez pu être tuée!

– Justement, marmonna-t-elle, je voulais mourir...

Mais sa voix s'éleva dans un murmure inaudible que l'inconnu n'entendit pas. Il remarqua pourtant son visage blême, ses yeux hébétés et s'enquit :

– Que se passe-t-il?

Son regard erra sur la silhouette de la jeune fille puis s'attarda sur la maison. Il fronça les sourcils en lisant l'adresse sur le portail. Son attention se fixa sur Lorene et il l'examina, la détaillant et ne manquant aucun détail de son apparence. L'étranger était grand, beaucoup plus grand que Bill, ses cheveux ébouriffés par le vent étaient noirs et frisaient légèrement sur sa nuque, comme ceux de Bill. A cette pensée, elle fut saisie d'une soudaine nausée et vacilla. L'homme la rattrapa de justesse et elle murmura :

– Je vous en prie, laissez-moi...

– Vous habitez par ici? questionna-t-il en la libérant.

– Non... Je rendais visite à quelqu'un et maintenant, je retourne chez moi, déclara-t-elle, la gorge serrée.

– Voulez-vous que je vous ramène?

Bizarrement, Lorene savait qu'elle n'avait rien à craindre de cet homme mais elle secoua la tête en signe de dénégation et se dirigea d'un pas mal assuré vers l'arrêt de bus. Tout en marchant, elle mit sa main dans sa poche et s'immobilisa brusquement. Qu'avait-elle fait de son argent? Fébrilement, elle le chercha, en vain. En un éclair, elle se souvint avoir sorti son mouchoir. Le billet avait dû tomber et elle ne s'en était pas rendu compte... Mais elle ne pouvait pas retourner chez elle, surtout pas après avoir été si cruellement rejetée par sa mère! Percevant son hésitation, l'inconnu insista :

– Vous êtes sûre? Je peux enlever la capote si vous voulez...

Lorene baissa les yeux en rougissant. Devait-elle lui dire qu'elle n'avait plus d'argent? La pension se trouvait à des kilomètres de Hampstead, elle mettrait des heures si elle marchait; de plus, elle n'avait prévenu personne de son escapade... Timidement, elle balbutia :

– Si vous êtes certain que cela ne vous dérange pas, alors j'accepte.

– Au contraire, cela ne me dérange pas du tout, assura-t-il d'un ton ironique qui échappa à Lorene.

Elle ne vit pas non plus son sourire satisfait tandis qu'il lui ouvrait la portière. Il démarra et la jeune fille sentit le souffle tiède de la brise caresser ses joues. C'était si agréable avec cette chaleur! Elle commençait à se détendre quand l'inconnu obliqua soudain dans une impasse déserte et se gara. En proie à une panique incontrôlable, elle se tourna vers lui et se figea de stupeur. C'était comme si l'homme s'était subitement métamorphosé : ses traits s'étaient durcis, son expression amicale et avenante avait disparu, il semblait sévère et cynique à la fois. D'une voix dure, il jeta :

– Vous êtes Lorene James, n'est-ce pas?

– Oui, souffla-t-elle sans même songer à mentir. Qui êtes-vous?

– Oliver Shaw, répondit-il d'un ton bref.

Son nom n'était pas du tout familier pour l'adolescente.

– Comment m'avez-vous reconnue?

– Grâce aux photos de vous publiées dans les journaux. Vous alliez voir votre mère, je suppose?

– Oui, admit-elle, la gorge serrée.

Sans pouvoir contrôler ses larmes, elle murmura :

– Elle me déteste, elle dit que je suis fautive...

– Et c'est faux? questionna-t-il avec calme.

Il s'était tourné vers elle et la fixait avec bienveillance; sans qu'elle puisse se l'expliquer, il lui fit penser à son grand-père.

– Je ne sais pas, dit-elle en réponse à sa question. Elle affirme que j'ai provoqué mon beau-père mais elle se trompe. C'est faux, *c'est faux*! répéta-t-elle avec force.

– En êtes-vous sûre? Vous êtes ravissante et très désirable... Enfin, sans ces vêtements informes, vous devez l'être, rectifia-t-il avec un sourire. Vous avez dû sentir confusément qu'il vous trouvait attirante.

Lorene acquiesça d'un signe de tête. Inexplicablement, elle avait envie de se confier à cet étranger. Peut-être le fait de lui livrer ses angoisses aurait-il un effet libérateur? Tout à coup, les mots jaillirent et d'une voix haletante et mal assurée, elle lui racontait son histoire. Il l'interrompit très peu, lui posant de temps à autre une question quand son récit devenait trop incohérent.

Lorsqu'elle eut terminé, elle laissa libre cours à son chagrin et pleura sur son épaule avec abandon, soulagée d'avoir enfin pu parler avec quelqu'un de ce drame qui l'avait si profondément atteinte.

– Ça va mieux? Vous êtes vraiment convaincante... et adorable. Je ferais mieux de vous ramener avant d'être moi-même poursuivi pour tentative de viol!

Ces mots, prononcés d'une voix dure, eurent l'effet d'une gifle pour Lorene et la choquèrent profondément. Amèrement, elle se reprocha son inconscience. Quelle folie! Pourquoi ne s'était-elle pas méfiée de cet inconnu? Étouffant un sanglot, elle ouvrit la portière et descendit de voiture en toute hâte, de crainte qu'il ne la retienne. Mais il n'esquissa pas un geste et se contenta de lui adresser un sourire sardonique qui la fit frissonner.

Quand elle regagna la pension, personne n'avait remarqué son absence. Rachel vint lui annoncer qu'on allait la placer dans un autre établissement réservé aux filles, qui lui conviendrait sans doute mieux. Pour la première fois depuis le jugement, Lorene ne demanda pas de nouvelles de Barbara et la psychologue confia ce soir-là à ses parents :

– Je crois que Lorene a compris que sa mère l'a abandonnée. Cette brute de Bill Trenchard devrait finir en prison le reste de ses jours et non pas y rester six mois!

Ce fut seulement au début du week-end que Lorene apprit la trahison d'Oliver Shaw, en lisant le supplément en couleur du magazine du dimanche. Dans un article éminemment critique, le journaliste racontait leur rencontre et taillait la réputation de la jeune fille en pièces. « Une adolescente innocente accepterait-elle de se faire raccompagner par un inconnu? » s'indignait-il. « La presse avait fait d'elle une victime sans expérience, mais Lorene s'était presque jetée dans ses bras et offerte à lui sans vergogne... »

Incrédule, Lorene avait parcouru plusieurs fois le journal, mais non! Elle n'avait pas une hallucination! Oliver Shaw avait interprété ses paroles d'une façon odieuse, mentant sans aucune pudeur.

Elle expliqua tout à Rachel qui ne trouva pas de mots pour exprimer sa colère. Cet homme n'avait-il pas idée de l'impact de ses accusations sur une enfant aussi fragile que Lorene? Elle avait été si choquée que le médecin lui avait administré une piqûre de tranquillisant; les jours suivants, elle demeura prostrée, refusant de s'alimenter.

Elle n'avait jamais pu oublier cet épisode de son

existence, remarqua Lorene en pliant les coupures jaunies. Depuis, elle se sentait toujours souillée et de terribles cauchemars revenaient souvent la hanter. Peu de temps après le procès, sa mère avait succombé à une crise cardiaque. Quant à Bill Trenchard, il avait trouvé la mort dans un accident de voiture, quelques mois après sa sortie de prison. Au fil des années, elle avait appris à enfouir le passé tout au fond de sa mémoire, convaincue qu'il ne resurgirait plus... Et puis, Oliver Shaw s'était brusquement matérialisé, déchaînant le flot de ses souvenirs. Il voulait lui parler. Mais pourquoi? Pour écrire un article intitulé : « Lorene, victime d'un viol à l'âge de quinze ans; sa vie, dix ans après... » Qu'espérait-il découvrir? Qu'elle avait eu des innombrables aventures et brisé des cœurs pour se venger? Un rire amer lui échappa. En fait, elle n'avait laissé aucun homme l'approcher depuis. Comment aurait-elle pu avouer d'où venait sa répulsion pour tout ce qui touchait au sexe?

Elle avait bien été près de sombrer dans la folie à cette époque, mais elle avait désormais surmonté le choc. Tant qu'elle se souviendrait de ne jamais faire confiance à quelqu'un, tout irait bien...

Malgré ses craintes, elle dormit d'un sommeil paisible cette nuit-là. Il faisait beau en ce samedi matin, et la perspective d'avoir le week-end devant elle pour se ressaisir l'enchantait. Elle partit faire ses courses et revint en passant par la bibliothèque pour ramener des livres. L'employée qui la connaissait lui proposa un ouvrage en lui assurant qu'il lui plairait.

Quand elle vit le nom de l'auteur, le premier réflexe de Lorene fut de refuser. Non, elle n'allait pas se plonger dans la lecture d'un roman de Jonathan Graves, alias Oliver Shaw! Jamais! Mais elle hésita malgré tout : et si elle le prenait? Cela lui permettrait de mieux connaître cet homme dont elle ignorait tout. Remerciant la dame d'un sourire, elle signa le reçu et se hâta de rentrer chez elle, brûlant d'une vive curiosité...

Son ménage fut terminé bien plus vite que d'habitude. Lorene était galvanisée par l'envie d'entamer sa lecture et découvrir le personnage de l'écrivain célèbre... sans vouloir vraiment le reconnaître!

Elle s'installa sur le canapé et ouvrit le roman. Dès la première page, son intérêt fut captivé; l'analyse des personnages était excellente et en retournant l'ouvrage, elle vit que l'histoire était fondée sur des faits réels qu'il avait recueillis lors d'un reportage. Cette découverte mit Lorene profondément mal à l'aise. Était-ce pour cela qu'il voulait lui parler? Allait-elle devenir le prochain sujet d'inspiration de Jonathan Graves? Eh bien, il allait être déçu! se dit-elle avec feu. Jamais elle ne le laisserait approcher!

Il était dix heures passées lorsqu'elle tourna la dernière page. Lorene s'étira en bâillant et se dirigeait vers la cuisine pour se préparer une tasse de thé lorsque la sonnette de l'entrée retentit.

Qui cela pouvait-il être à une heure aussi tardive? A travers la porte soigneusement verrouillée, elle lança d'un ton appréhensif :

– Qui est là?

– Moi... Oliver Shaw, répondit une voix familière. Soyez gentille, ouvrez-moi.

– Pas question! s'exclama-t-elle avec fureur. Allez-vous-en!

Visiblement, sa réponse n'avait pas eu d'effet car il reprit avec autorité :

– Ouvrez-moi! Je suis prêt à défoncer cette maudite porte si vous vous obstinez!

Lorene le crut sans peine. Elle était partagée entre l'envie de le défier et la crainte d'attirer l'attention des voisins. Finalement, elle céda et poussa le battant. La présence d'Oliver faisait paraître son appartement encore plus petit. Il était entièrement vêtu de noir, une couleur qui lui allait fort bien... D'un geste négligent, il jeta son cardigan de cachemire sur le sofa et remarqua d'un ton approbateur :

– Très accueillant... Vous vivez seule ici?

– Oh, non! rétorqua-t-elle, sarcastique. Je partage cet appartement avec une douzaine d'hommes...

Puis, changeant d'attitude, elle enchaîna :

– Bien entendu, je vis seule ici? Qui voudrait cohabiter avec une personne aussi tristement célèbre que moi?

– Tristement célèbre? répéta-t-il, stupéfait. Est-ce ainsi que vous vous considérez?

– N'est-ce pas à vous que je dois cet honneur? riposta-t-elle d'un ton mordant.

Oliver exhala un soupir et déclara d'un ton las :

– Je vous en prie, Lorene, asseyez-vous. J'ai eu votre adresse par quelqu'un au bureau. Je voulais venir vous voir demain mais en passant par ici, j'ai aperçu de la lumière et...

– Et vous avez profité de l'occasion, termina-t-elle d'un ton railleur. C'est une de vos spécialités, monsieur Shaw, vous êtes un opportuniste; j'ai déjà eu l'occasion de m'en rendre compte.

Une furtive lueur de tristesse assombrit ses yeux. Ou bien l'avait-elle juste imaginée? Il abaissa vite son regard et, sans relever sa critique, murmura :

– Tiens, un des mes romans... L'avez-vous aimé?

– Beaucoup, mais si vous pensez que je vais accepter de devenir l'héroïne de votre prochaine œuvre, eh bien, vous vous trompez! Je ne vous laisserai pas me détruire!

– Vous... vous croyiez que j'étais venu pour cela? balbutia-t-il, visiblement troublé. Mais je vous assure que non, Lorene. Écoutez, je... prenez un siège et...

Il s'avança vers elle et la jeune fille recula instinctivement. D'une voix rendue aiguë par la peur, elle cria :

– Ne me touchez pas!

– Je n'en avais pas l'intention, articula-t-il d'une voix blanche. Venez...

Il s'approcha d'elle et Lorene, en proie à une panique incontrôlable, porta sa main à sa gorge et recula précipitamment au fond de la pièce. Ses yeux écarquillés exprimaient sa terreur; elle se sentait sur le point de défaillir. Craignant qu'elle ne s'évanouisse, Oliver la rejoignit en quelques enjambées et la soutint par les épaules. Toute couleur avait disparu de son visage. Son geste fit enfin sortir Lorene de sa torpeur et elle se débattit avec une énergie farouche, décidée à échapper à cette odieuse étreinte.

– Par pitié, Lorene, souffla-t-il, tendu. Je ne vous veux aucun mal, je vous le jure!

Comme elle ouvrait la bouche pour hurler, il la bâillonna et le contact de ses lèvres sur les siennes la ramena des années en arrière, lui rappelant son beau-père.... Au moment où elle allait s'évanouir, Oliver lui accorda un répit et chuchota à son oreille :

– Lorene, je ne suis pas Bill Trenchard. Je vous promets que je ne vous ferai aucun mal.

Ces mots, comme une litanie parvinrent à peine aux oreilles de la jeune fille. Trop accablée pour protester, elle se laissa conduire près du canapé et s'y assit docilement.

Quand elle se fut ressaisie, elle jeta d'un ton coupant :

– Vous avez dû être très déçu de découvrir que j'étais frigide. Dommage pour votre roman! Vous auriez sans doute préféré me voir transformée en une véritable nymphomane...

– Vous n'êtes pas frigide, Lorene, rétorqua-t-il calmement. Vous prétendez l'être, sûrement pour vous protéger.

Elle le fixa d'un air désespéré. Comment avait-il deviné? Oliver Shaw se révélait bien trop perspicace à son goût. Relevant le menton avec défi, elle riposta :

– Justement, j'ai besoin de me protéger! Mettez-vous un instant à ma place : quel effet cela vous ferait-il d'être reniée par votre mère, d'être considérée comme une garce? Quand je pense à ce que j'ai enduré, reprit-elle, la voix brisée. Et tout cela à cause de vous!

– A cause de moi? répéta-t-il, livide. Je ne peux pas effacer le passé, Lorene, ni tenter de racheter ma faute mais...

Il laissa sa phrase en suspens et marqua une pause avant d'enchaîner :

– Avez-vous quelque chose à boire? Autre que du thé ou du café, bien sûr, précisa-t-il, ironique.

– Il y a du sherry, fit-elle d'un ton sec, piquée au vif. Je ne bois pas.

– Et vous ne recevez jamais d'hommes chez vous, ajouta-t-il, railleur. J'aurais sans doute dû m'arrêter dans un pub avant de venir.

Cela signifiait-il qu'il avait besoin de courage pour l'affronter? se dit Lorene, étonnée.

– En tout cas, monsieur Shaw, je tiens à ce qu'une chose soit claire entre nous : devenir l'un des personnages de vos romans ne m'intéresse pas.

– Bon sang, mais qui vous l'a demandé? Certainement pas moi! s'écria-t-il, exaspéré. Ce n'était pas mon but en vous rendant visite. Cela fait cinq ans que je vous cherche. J'ai interrogé un nombre incalculable de gens, en vain. Vous aviez purement et simplement disparu...

– Disparu dans une institution spécialisée pour des jeune filles dévoyées ou à problèmes comme moi, coupa Lorene, hors d'elle.

– Je vous en supplie, souffla-t-il, avec un air torturé qui la frappa. Lorene, je connais la vérité.

– Bien entendu, siffla-t-elle avec ressentiment. Je vous l'ai révélée, il y a quelques années, mais cela ne vous a pas empêché de la déformer pour autant!

– Je vous en prie, écoutez-moi! Rien ne peut excuser ma conduite, je l'admets volontiers. J'ai tout tenté pour racheter mon erreur mais le journal où je travaillais à l'époque a refusé de publier l'article où je reconnaissais mes torts, prétextant que l'affaire n'intéresserait personne; par la suite, votre beau-père est mort et avec lui disparaissaient toutes les preuves dont j'avais besoin. Quand je vous ai vue devant chez vous, ce fameux jour, j'avais justement rendez-vous avec lui. Je ne vous cacherai pas que ma sympathie lui était déjà acquise. Et ma partialité avait une raison profonde. Vous voyez, Lorene, un cousin à moi venait de se suicider au terme d'une semblable affaire. Il avait rencontré une opportuniste sans scrupules, de deux ans plus jeune que lui. Elle savait que Bobby était riche; elle l'a séduit et lui a fait du chantage dès qu'il a voulu la quitter, allant même jusqu'à l'accuser de tentative de viol. Elle le traîna en justice et Bobby, terriblement éprouvé, n'essaya pas de se défendre. Il fut condamné à une peine de prison. Honni par ses parents, rejeté par ses amis, il se supprima juste après m'avoir raconté les manœuvres de Lisa. Quelque temps après sa mort, je la confrontai et elle avoua tout.

Il se tut et à son expression farouche, Lorene devina à quel point il avait été touché par la disparition de Bobby.

– C'est donc de là que viennent mes préjugés, enchaîna-t-il. Et puis, dans ces cas-là, il est fréquent de voir les gens agir pour un unique motif : l'argent.

– Vous pensiez que je cherchais à en soutirer à mon beau-père, s'exclama-t-elle, outrée.

– Non, mais j'étais persuadé que vous vouliez vous venger. Et mon idée n'était pas si aberrante : votre mère venait de se remarier et Bill Trenchard vous « volait » Barbara, en quelque sorte. En guise de représailles, vous tentiez de séduire le mari de votre mère pour vous prouver aussi que vous étiez désirable.

– C'est faux! balbutia Lorene d'une voix étranglée.

– En effet, mais je m'en suis rendu compte trop tard, convint-il d'un air sombre. Quand vous avez accepté de monter dans ma voiture, j'en ai tiré de fausses conclusions.

– J'étais sans argent, expliqua Lorene dans un murmure. Et ma mère venait de me renier et...

Elle s'arrêta. Il ne devait surtout pas savoir qu'elle avait été irrésistiblement attirée par lui, et qu'elle lui avait fait confiance. Surtout pas! Ah, si seulement elle pouvait trouver un moyen de lui faire payer! se dit-elle avec véhémence.

– Lorene, où êtes-vous? Vous ne m'écoutez pas. Je vous disais que j'avais rencontré Bill par hasard dans un pub de Fleet Street après sa libération de prison. Il avait bu plus que de raison et m'a reconnu. Je l'ai interrogé et il n'a pas mis longtemps à m'avouer tous ses mensonges. Comme il était fier d'être parvenu à duper les juges! Trois jours plus tard, il se tuait dans un accident de voiture sans que j'aie pu lui faire signer le moindre document.

– Cela n'aura pas changé grand-chose, remarqua-t-elle d'un ton empreint de tristesse. Le mal était déjà fait. C'est ma mère qui nous a surpris le jour fatal, et malgré l'évidence, elle a préféré rejeter la culpabilité sur moi plutôt que de blâmer son mari.

Elle n'allait pas lui révéler l'agonie mentale qui avait été la sienne, les doutes affreux qu'elle avait vécus. Peu à peu, elle s'était rendue responsable d'un crime qu'elle n'avait pas commis. Et à présent, cet homme qui avait causé son malheur avait l'audace de venir chez elle et s'excuser de cette « regrettable erreur »?

Une fureur aveugle l'envahit. Comment pouvait-il penser qu'elle allait lui pardonner? Était-il fou, inconscient? Mais à moins de la vivre à son tour, il ne pourrait jamais connaître la torture qui avait été la sienne durant toutes ces années...

Elle aurait voulu l'atteindre avec des mots mais aucun n'était assez fort à son goût. Voyant les émotions qui se succédaient sur son visage expressif, Oliver demanda doucement :

– Y a-t-il quelque chose que je puisse faire pour me racheter?

Pour qui se prenait-il? Un magicien doté du pouvoir d'effacer le passé d'un coup de baguette? Elle allait lui répondre avec fougue quand une idée subite germa dans son esprit. Et si, par un moyen quelconque, elle arrivait à se venger? Cette perspective paraissait hautement improbable, mais si tentante... Son imagination s'exalta; il lui faudrait trouver une façon. Tout le monde avait un point faible et Oliver n'échappait pas à la règle. Était-ce une femme? Non, impossible. Sa carrière alors? Mais oui, bien sûr, pourquoi n'y avait-elle pas songé plus tôt? Elle devrait l'attaquer par ce biais, le discréditer auprès de ses collègues par exemple. Et si elle écrivait elle-même un article à son sujet? Encore lui faudrait-il découvrir des informations susceptibles de noircir sa réputation... Elle pourrait... Faire quoi au juste? réfléchit-elle. Monter quelque chose de toute pièce, mais c'était risqué; de plus, elle voulait utiliser la même arme qu'il avait utilisée contre elle : la « vérité! » Non, la solution la plus sûre serait de mieux le connaître, d'avoir accès à sa vie privée qu'il cachait soigneusement aux yeux du public... En un éclair, un plan se matérialisa dans sa tête.

– Après tout, vous pourriez peut-être quelque chose pour moi, murmura-t-elle. J'aimerais trouver un emploi plus élevé que celui que j'occupe actuellement. Si je vous servais de secrétaire pendant quelques mois, cela me donnerait une excellente référence...

Oliver l'étudia un instant d'un air soupçonneux et elle crut qu'il avait deviné.

– Pourquoi tenez-vous à collaborer avec moi? Ce serait plus simple de me faire écrire une lettre de recommandation.

– Non, ce serait malhonnête, fit-elle froidement. Bien entendu, si cela vous ennuie...

– Le problème n'est pas là, jeta-t-il d'un ton sec. Je n'ai pas de secrétaire d'habitude, je dicte mes textes sur magnétophone, de plus...

Il laissa sa phrase en suspens et réfléchit pendant un moment, l'air absorbé. Peut-être avait-il espéré s'en tirer avec une excuse, se dit Lorene, sarcastique. Sa proposition avait dû le prendre de court!

– Est-ce vraiment ce que vous voulez? Collaborer avec moi?

Devant le signe de tête affirmatif de la jeune fille, il enchaîna :

– Possédez-vous un passeport?

Un passeport? répéta-t-elle, déconcertée. Mais...

– Je suis propriétaire d'une ferme en Provence et c'est là que je vais aller écrire mon prochain roman. La maison est située dans un endroit très isolé, cela ne vous effraie pas? Vous aurez à supporter ma présence, en serez-vous capable?

Lorene avait des doutes, mais c'était le seul moyen pour le prendre en défaut. Relevant le menton d'un air de défi, elle déclara :

– Ne vous inquiétez pas, j'en serai capable.

– Il y a au moins une chose dont je peux être sûr, lança Oliver avec ironie, c'est que vous ne mettrez pas ce séjour à profit pour me séduire! Ne vous êtes-vous jamais demandé quel effet cela faisait de faire l'amour avec quelqu'un? s'enquit-il tandis qu'elle lui ouvrait la porte.

– Jamais, riposta-t-elle froidement en devenant écarlate. Cette seule pensée me dégoûte!

– Eh bien, il serait temps qu'on vous fasse changer d'avis, rétorqua-t-il avant de disparaître.

Quelle audace! songea Lorene en fulminant. De quel droit la traitait-il avec tant de condescendance? Mais il y avait eu autre chose que de la pitié dans le regard qu'il lui avait décoché avant de partir. Bientôt, il regretterait son attitude, se promit-elle avec ardeur. Elle mettrait tout en œuvre pour cela!

4

Une fois sa décision prise, Oliver Shaw se montra d'une efficacité qui stupéfia Lorene. Il parvint à convaincre M. Marshall de réduire le préavis de son assistante à une semaine. Sally fut abasourdie en apprenant la nouvelle.

– Oh, Lorene, quel dommage! Si j'étais à votre place...

– Vous chercheriez par tous les moyens à obtenir ses faveurs, termina Lorene un peu sèchement. Pourquoi croyez-vous qu'il m'emploie? Il veut une secrétaire, pas une maîtresse.

– C'est juste, vous avez raison, convint Sally, étonnée par le langage un peu cru de Lorene. Quelle chance, la Provence doit être une région superbe...

« De la chance, de la chance », marmonna la jeune fille à part elle. Elle avait surtout su agir vite, se dit-elle en se présentant au rendez-vous qu'Oliver Shaw lui avait fixé. Il répondit lui-même à son coup de sonnette, seulement vêtu d'une serviette nouée autour de ses reins. L'air horrifié de Lorene l'amusa et il expliqua d'un air sérieux :

– Je me suis couché fort tard, hier, et...

– Inutile de vous justifier, coupa Lorene. Je me doute de la suite.

– Ah, bon? Vous m'étonnez. Je vous croyais plus innocente.

Consciente qu'il se moquait d'elle, Lorene lui décocha

un regard méprisant avant de le précéder dans le vaste hall. La maison lui rappelait vaguement celle de ses grands-parents à Hampstead et un sentiment de nostalgie l'envahit. Elle se laissa guider jusqu'à la salle de séjour, une pièce aux proportions respectables décorée dans un camaïeu de verts. L'effet d'ensemble était très reposant.

– Je partirai pour Nice un jour avant la date prévue, annonça Oliver en lui proposant un siège. Je vous laisserai quelques lettres à dactylographier ici, le personnel est prévenu de votre visite.

Lorene l'écoutait à peine. Si seulement il allait s'habiller... La vue d'un corps d'homme provoquait en elle un sentiment de répulsion. Alors pourquoi n'arrivait-elle pas à détacher son regard de celui d'Oliver?

– Je vous en prie, ne me fixez pas ainsi, fit tout à coup Oliver. Je ne suis pas votre beau-père.

Lorene pencha la tête sur son bloc-notes et murmura à contrecœur :

– Je sais.

Elle l'entendit vaguement se lever et ne réagit pas quand il vint s'asseoir près d'elle, paralysée par une étrange émotion.

– Si vous le savez, alors prouvez-le moi, ordonna-t-il doucement. Regardez-moi.

Incapable de lui résister, elle leva timidement les yeux.

– Regardez-moi, Lorene, répéta-t-il. Vous ne devez pas avoir peur.

Avant qu'elle ait pu l'en empêcher, il avait pris sa main et la posait sur son torse. Lorene voulut hurler mais aucun son ne franchit ses lèvres. Hypnotisée par ses prunelles d'un gris acier, elle le vit s'approcher plus près encore.

– Votre cœur bat si vite, remarqua-t-il d'une voix rauque. Pourquoi?

– Je croyais que vous alliez m'embrasser, avoua-t-elle dans un murmure à peine audible.

– J'en avais envie, convint-il. Cela vous faisait-il horreur à ce point?

– Vous savez que oui, rétorqua-t-elle avec emphase.

– Peut-être vous imaginez-vous que vous détestez les contacts physiques. Pourtant, ce n'est pas un péché d'embrasser quelqu'un, que je sache! Laissez-moi vous montrer...

Il s'empara de ses lèvres et Lorene se força à demeurer rigide. Mais la douce pression de sa bouche contre la sienne la troubla et elle se détendit quelque peu. Oliver dut le percevoir car il intensifia son étreinte, réveillant du même coup toutes les angoisses de la jeune fille. D'un mouvement brusque, elle se dégagea et lança d'une voix chargée d'amertume :

– Pourquoi faites-vous cela? Que cherchez-vous à prouver?

– Simplement que vous vous mentez à vous-même, rétorqua-t-il. Quant à en deviner la raison... sans doute pour expier.

Expier? Qu'avait-il voulu dire par là? se demanda-t-elle, stupéfaite, quand il la laissa pour aller s'habiller. Expier quoi? Rêveusement, elle effleura ses lèvres d'un doigt, revivant les sensations qu'Oliver avait fait naître en elle. Qu'avait-elle ressentit au juste? La bizarre émotion qui l'avait envahie ne pouvait être que de la haine...

Deux jours plus tard, Lorene s'envolait pour Nice. Oliver vint l'attendre à l'aéroport, très différent dans un jean délavé et un tee-shirt, de l'homme qu'elle avait connu à Londres. Quand elle débarqua, Lorene fut frappée par la douceur de la température. Elle étouffait dans son chaud manteau! L'hôtesse leur adressa un regard surpris que Lorene n'eut aucun mal à interpréter. Oliver et elle formaient un couple très mal assorti, lui si beau, si séduisant, elle terne et insipide...

– Par ici, fit Oliver en la guidant à travers le parking.

Il s'arrêta devant une Ferrari rouge, ouvrit le coffre et s'enquit d'un air étonné :

– Vous n'avez qu'une seule valise?

– Je croyais que la ferme se trouvait dans un endroit isolé, riposta-t-elle, agacée. Je n'ai pas apporté grand chose.

Lorene s'aperçut quelques heures plus tard qu'il ne lui avait pas menti en annonçant que sa propriété était loin de tout. Ils prirent un nombre incalculable de petites routes pittoresques de l'arrière-pays et parvinrent à leur but en fin d'après -midi. Lorene était courbatue et vacilla en sortant de voiture. En un éclair, Oliver fut à ses côtés pour la soutenir.

– Bienvenue chez moi, fit-il. Comme vous pouvez le constater, je n'ai guère le temps de jardiner. Mon roman accapare mes journées.

D'un œil curieux, Lorene détailla les alentours. Entourée de vieux oliviers aux troncs noueux, la maison au crépi ocré, délavé par les ans, se fondait dans le paysage. Le jardin à l'abandon regorgeait de roses trémières, de mauves et de coquelicots qui poussaient en toute liberté, jetant une note de couleur dans l'herbe verte. Une odeur forte de menthe poivrée embaumait l'air; Lorene la huma avec délices.

Oliver ouvrit la porte et s'effaça pour laisser passer la jeune fille. Il régnait une agréable fraîcheur à l'intérieur. Une fois que ses yeux se furent habitués à la pénombre, elle examina la cuisine dont le sol était carrelé des traditionnelles tomettes d'un brun foncé. Oliver ne devait pas souvent faire le ménage, se dit-elle en découvrant l'épaisse couche de poussière qui recouvrait les meubles et le vaisselier.

– Ouvrons les fenêtres, suggéra-t-il. Nous y verrons

mieux pour visiter. Heureusement, nous avons de l'électricité produite par un générateur. Je vais le mettre en marche; en attendant, si vous pouviez apporter les provisions qui sont dans le coffre et les ranger dans le congélateur... J'espère que cela ne vous ennuiera pas trop de participer aux corvées ménagères; cela ne fait pas partie de vos attributions mais...

– Rassurez-vous, cela ne me dérange pas, assura-t-elle.

– Tant mieux! Allons-y pour la visite. Remarquez, il n'y a pas grand-chose à voir, admit-il en se baissant pour passer la porte de la salle à manger.

De proportions agréables, elle possédait des fenêtres à petits carreaux et un mobilier typiquement provençal assez sombre, recouvert de poussière. Une impressionnante cheminée trônait à un bout ainsi qu'une table croulant sous les papiers. Visiblement, la pièce servait de bureau à Oliver.

– Passons à l'étage, maintenant, fit-il. Il est plus spacieux car nous profitons de l'espace au-dessus de la grange qui sert désormais de garage. Il y a cinq chambres en tout. Voici la mienne, enchaîna-t-il en ouvrant la porte.

Mais Lorene ne put y jeter qu'un rapide coup d'œil.

– Nous devrons partager la salle de bains, reprit-il. Nous sommes bien loin du luxe de la civilisation.

– Mais il n'y a pas de verrou sur cette porte, ni sur aucune autre d'ailleurs, remarqua Lorene, atterrée.

– Quelle importance? riposta Oliver, contrarié. Je vous assure que je ne suis pas un voyeur. Epier des femmes nues à travers le trou de la serrure n'est vraiment pas mon style!

Elle rougit, piquée par son ton railleur, et accepta de prendre la chambre qu'il lui désignait sans discuter. Jamais elle ne s'était imaginée qu'ils vivraient dans une telle intimité!

– Elle est très bien, vous verrez, poursuivit-il en ignorant son air crispé. Elle est plus grande que les autres et c'est celle qui se trouve la plus loin de la mienne... Avantage non négligeable, n'est-ce pas? Mais dites-moi, Lorene, continua-t-il d'un ton mielleux, si vous craignez tant que je vous agresse, pourquoi avez-vous voulu travailler avec moi? C'est plutôt bizarre...

– Pourquoi avez-vous dit oui? riposta-t-elle en guise de réponse plutôt que de mentir.

– Eh bien, fit Oliver en fixant sa bouche d'une curieuse façon, si je vous avouais que je me sens coupable de ce qui vous est arrivé? Cette peur des hommes et de tout contact physique... Non, ne le niez pas, c'est inutile. Je veux vous aider, Lorene, ajouta-t-il avec une gentillesse déconcertante.

– Pardon? murmura-t-elle, partagée entre la colère et l'indignation.

– L'idée vous déplaît, peut-être? devina-t-il en esquissant une grimace. Rien de bien étonnant à vrai dire... Mais honnêtement, Lorene, vous n'avez tout de même pas l'intention de continuer à vivre de cette façon et à trembler dès qu'un homme vous approche!

– Je ne tremble pas, c'est faux! explosa-t-elle.

– Ah non? Si je vous prenais dans mes bras pour vous emporter dans ma chambre, nous savons tous deux que vous vous évanouiriez avant que je l'atteigne. Vous avez enduré une épreuve horrible mais elle fait partie du passé désormais, il faut penser au présent, Lorene, il le *faut*!

– Et c'est vous qui allez devenir mon maître, me guider, me donner des conseils, je suppose. Oh, j'aurais dû me douter que vous me cachiez quelque chose! Je suis le cobaye de votre prochaine expérience qui s'intitulera : « *Comment j'ai guéri une femme frigide de ses inhibitions* » par le célèbre Jonathan Graves! C'est cela n'est-ce pas? s'écria-t-elle, ulcérée.

La réaction d'Oliver la désarçonna totalement. D'un air triomphant, il jeta :

– Vous admettrez donc qu'un tel miracle est possible? Mais vous vous trompez, je n'ai aucune intention d'écrire à ce sujet. Ma parole, c'est une obsession chez vous!

– C'est seulement parce que je me rappelle un certain article dont je faisais l'objet, articula-t-elle d'un ton mordant.

– Vous avez raison, je... je suis désolé, souffla-t-il. Mais j'étais sérieux tout à l'heure. Lorsque nous repartirons à l'automne, mon livre sera terminé et vous, Lorene, vous serez devenue une femme normale, délivrée du passé. Je vous le promets.

– Je ne me serais jamais douté que vous possédiez des dons de magicien, rétorqua-t-elle. Et puis-je savoir comment vous allez opérer cette métamorphose?

– Je n'en ai aucune idée, avoua-t-il en haussant les épaules. Mais une chose est certaine : je vous rendrai ce que vous m'accusez sans cesse de vous avoir pris!

Il tourna les talons et disparut dans les escaliers avant qu'elle n'ait eu le temps de riposter. Lorene se laissa pesamment tomber sur son lit et réprima un frisson d'anxiété. Pourquoi, mais *pourquoi* avait-elle voulu le suivre? se répétait-elle, accablée. Sans doute assoiffée de vengeance, elle n'avait pas pris conscience des dangers que comportait son plan. Le souvenir des lèvres d'Oliver sur les siennes assaillit furtivement sa mémoire et elle le chassa avec agacement. Après tout, qu'il essaye! se dit-elle dans un sursaut de révolte. Si Oliver était assez sot pour croire qu'il atteindrait son but, cela lui était bien égal! De toute façon, elle était convaincue qu'il échouerait...

Elle finissait de préparer son lit lorsque le jeune homme l'appela pour ranger les provisions. Ils travaillèrent tous deux en parfaite harmonie et Lorene fut étonnée de constater à quel point Oliver était rapide et organisé.

Visiblement, il avait l'habitude des tâches ménagères et se montrait d'une efficacité redoutable, à la différence de son beau-père, Bill, qui préférait se faire servir par les femmes.

Quand ils eurent terminé, ce fut Oliver qui l'obligea à s'asseoir et prépara une tasse de thé.

– J'irai nettoyer et remplir la piscine plus tard, déclara-t-il, nous pourrons l'utiliser quand l'eau aura été chauffée par le soleil.

– Une piscine? répéta Lorene, surprise.

– Oui, il y en a une au fond du verger. C'est le peintre qui vivait ici avant moi qui l'a installée. Il s'en servait pour faire poser des jeunes filles nues autour et...

Il se tut en apercevant l'expression horrifiée de Lorene et enchaîna d'un ton exaspéré :

– Bon sang, je plaisantais! Vous avez une imagination bien fertile pour une personne qui se prétend frigide. Que se passe-t-il dans votre jolie tête, Lorene? Pourquoi avez-vous voulu venir avec moi?

– Je vous ai déjà donné mes raisons, murmura-t-elle.

– Peut-être, mais quant à savoir si ce sont les bonnes... Quelque chose me dit que vous ne m'avez pas révélé la vérité.

Mal à l'aise, elle l'épia à travers ses cils et baissa vite les yeux. Non, ce n'était pas possible! Il ne pouvait pas avoir deviné, songea-t-elle, prise de panique. Sinon, il n'aurait jamais accepté qu'elle le suivre.

– Détendez-vous, je ne vais pas tenter de vous extorquer des aveux complets de force, fit-il, sarcastique... Vous devez avoir chaud dans cette tenue, remarqua-t-il en changeant de sujet. Avez-vous apporté des vêtements plus légers?

Comme elle acquiesçait, il reprit :

– Et un maillot?

Lorene devint écarlate et il enchaîna en esquissant une grimace :

– Non, évidemment, vous n'en avez pas. Vous devez même trouver cela choquant, je parie...

– Vous ne m'avez pas prévenue, j'ignorais qu'il y avait une piscine.

– Ce n'est pas la peine que j'essaie de vous convaincre de nager nue, ce serait prêcher dans le désert, ajouta-t-il, railleur. Pourtant, si vous saviez comme c'est agréable! Il n'y a rien de plus érotique que le contact de l'eau sur la peau...

– Je vous en prie, arrêtez! Vous ne devriez pas parler ainsi!

– Pourquoi? Cela vous dérangerait-il? Bizarre pour une femme de glace... Bien, allons-y, marmonna-t-il en la fixant d'un œil vigilant. Tâchons de rendre cette maison habitable, nous travaillerons demain. J'espère que vous ne vous attendiez pas à être servie par une armée de domestiques? Pour ce qui est des provisions, un épicier me livre mes commandes une fois par semaine; cela me permet de ne pas perdre mon temps en allées et venues. Alors, que préférez-vous? Faire les lits ou la poussière?

– Je me charge des lits, proposa Lorene, en ignorant son regard perçant.

Plusieurs fois, tandis qu'il se baissait pour ouvrir des placards, la jeune fille fut saisie d'une soudaine et inexplicable envie de caresser la chevelure épaisse et indisciplinée d'Oliver. Horrifiée, elle se contint et prit une expression volontairement neutre. Quel embarras si Oliver venait à lire dans ses pensées! Comme il l'accablerait de ses sarcasmes alors!

Elle était cependant incapable de s'expliquer son attitude; jusqu'à présent, elle avait détesté les hommes, redouté leur proximité et pourtant, en présence d'Oliver, elle avait ressenti une certaine curiosité et le besoin de le toucher, de mieux le connaître. Mais n'était-ce pas naturel, finalement? Pour qu'elle arrive à se venger, Oliver ne devait plus avoir de secrets pour elle.

Pendant le repas, entièrement préparé par le jeune homme, Lorene ne parla guère et se contenta de l'observer à la dérobée. Non, il n'avait pas beaucoup changé depuis tout ce temps; son visage paraissait plus émacié, plus mince, nota-t-elle.

– Fatiguée? s'enquit-il subitement, mettant fin à son examen.

Surprise, elle acquiesça et il déclara :

– Je vais chercher votre valise, elle est restée dans la voiture. Mais ne rangez pas vos affaires tout de suite, vous aurez le temps. Je ne compte pas commencer mon travail avant deux jours. Il me faut rassembler ma documentation et finir de la lecture. D'ailleurs, cela vous laissera la possibilité de vous acclimater mais ce sera difficile si vous vous obstinez à vous vêtir aussi chaudement. Nous sommes en Provence, Lorene, pas au pôle Nord! Pourquoi vous déguisez-vous ainsi, je me le demande... Est-ce dans le but de décourager l'attention? Avec ce chignon, on vous donnerait aisément quarante ans.

Décidément, il était trop perspicace, songea Lorene. Et cela lui faisait peur. D'une voix mal assurée, elle riposta :

– Ce... C'est plus pratique et je préfère ce style. Il me va mieux.

– Ah, vous trouvez? fit Oliver, sceptique. Montez dans votre chambre, je laisserai vos affaires devant la porte. Au fait, il y a plein d'eau chaude, prenez un bain si vous voulez. Je ne viendrai pas vous déranger, soyez-en sûre.

Furieuse, elle lui décocha un regard glacial. Bien entendu, aux yeux du célèbre Jonathan Graves, don Juan aux innombrables conquêtes, Lorene possédait autant de charme qu'un mannequin de cire! Il ne la trouvait pas désirable et cette pensée la plongea un instant dans la tristesse sans qu'elle puisse comprendre la raison de son désarroi.

Ce n'était tout de même pas de l'amertume, se dit-elle juste avant de sombrer dans le sommeil. Mais alors qu'était-ce?

5

Le soleil qui filtrait à travers les persiennes réveilla Lorene. Les yeux embués de sommeil, elle consulta sa montre et poussa un petit cri de consternation. Neuf heures et demie! Et Oliver s'attendait sans doute à ce qu'elle prépare le petit déjeuner!

Affolée, elle se redressa sur un coude et chercha du regard sa robe de chambre. Mais où l'avait-elle mise? Quelle idiote! En fait, elle ne l'avait même pas sortie de sa valise, se rappela-t-elle soudain. Et à propos de valise, elle aurait juré l'avoir laissée à côté du lit...

– Vous avez perdu quelque chose? s'enquit tout à coup une voix familière du seuil de la porte.

Oliver la contemplait, une tasse de café fumant à la main. Sa chemise, qu'il n'avait pas pris la peine de boutonner, laissait apparaître son torse musclé et cette vue troubla inexplicablement Lorene. Elle se détourna pudiquement et lança d'un air faussement dégagé :

– Oui, en effet, ma valise a disparu, je l'avais rangée là et...

– En effet, mais je l'ai enlevée, coupa-t-il.

– Vous l'avez...

– Oui, pendant que vous dormiez. Voulez-vous savoir pourquoi? Vous vous habillez comme une femme de cinquante ans, Lorene, vous cachez votre corps sous des vêtements informes et disgracieux. Je vous ai déjà mise au courant de mes intentions...

– Ah, oui! siffla la jeune fille avec amertume. Vous comptez me métamorphoser en femme « normale ».

Son audace l'avait exaspérée : le sentiment de détente qu'elle avait éprouvé au réveil s'était envolé avec sa résolution de ne pas l'affronter. Quand Oliver s'approcha, elle recula instinctivement et se recroquevilla comme un animal traqué prêt à bondir. D'un geste nonchalant, il tira les couvertures et esquissa une grimace de dégoût en découvrant la chemise de nuit monacale de Lorene.

– Que vais-je faire si vous m'avez subtilisé mes affaires? s'enquit-elle dans un murmure. Mettre ce déshabillé?

– Sûrement pas! C'est encore pire que votre tailleur en tweed, ce qui n'est pas peu dire! Non, ma chère, vous allez porter les vêtements que j'ai achetés pour vous à Nice en arrivant. Et surtout, ne me remerciez pas, considérez ce présent comme une réparation en vue de mes erreurs passées. Et si nous jetions un coup d'œil à ce que j'ai choisi?

Elle avait parfaitement conscience qu'il la provoquait et voulait l'obliger à réagir. Il avait tout à fait réussi, convint-elle, bouillonnante de rage. Oui, elle devait admettre que ses critiques avaient visé juste. Lorene s'était toujours volontairement vieillie, elle s'était servie de ses habits comme d'une protection, un efficace repoussoir. Sa coiffure aussi en était un exemple. Instinctivement, elle tenta de ramener en arrière la masse opulente qui cascadait sur ses épaules mais un ordre bref d'Oliver lui fit suspendre son geste.

– Non! Laissez-les!

Il emprisonna ses mains et ses doigts se posèrent ensuite sur sa gorge. Cette caresse, si légère fût-elle, paralysa Lorene qui demeura captive du regard intense d'Olivier, rivé sur elle. Puis, avec la violence d'un ouragan, les souvenirs affluèrent en elle; au visage du jeune homme se substituait celui de Bill Trenchard...

– Lorene!

La voix sèche et coupante la ramena immédiatement à la réalité. C'était comme si Oliver avait lu dans ses pensées et l'obligeait à se rendre compte de sa méprise. Il avait deviné qu'elle l'assimilait à son beau-père.

– Lorene, regardez-moi.

– Je ne veux pas de votre cadeau, vous pouvez le garder, s'écria-t-elle avec véhémence.

– Désolé, mais vous allez porter ces vêtements, dussé-je vous habiller moi-même, riposta-t-il d'une voix dangereusement calme. N'éprouvez-vous pas la moindre curiosité? N'aimeriez-vous pas une seule fois dans votre vie qu'un homme vous contemple avec amour?

– Avec concupiscence, vous voulez dire! Non merci, l'expérience m'a échaudée!

– Mais tous les hommes ne ressemblent pas à Bill Trenchard, vous êtes sans doute assez lucide pour le reconnaître. C'est votre première étape vers la liberté, Lorene.

– La liberté, répéta-t-elle en exhalant un soupir.

– Vous êtes prisonnière de votre passé, reprit-il d'une voix vibrante et le seul moyen de vous en sortir est d'apprendre à avoir confiance, à ne pas croire que tout individu est une réplique de votre beau-père.

– Mais peut-être que je préfère rester prisonnière, c'est plus sûr ainsi.

– Plus sûr, mais étouffant, dit-il. Par lâcheté, vous mourez lentement, vous vous fermez inexorablement au monde. Vous en êtes-vous seulement rendu compte?

Il marqua une pause et déclara d'un ton péremptoire :

– Maintenant, buvez votre café. Quand vous aurez fini, je vous montrerai ce que j'ai acheté.

A quoi bon se rebeller? songea-t-elle, accablée. Il la tenait à sa merci. Ah, pourquoi avait-elle été aveuglée par ses idées de vengeance? Elle aurait dû se douter d'un piège...

– Projetiez-vous depuis toujours de me transformer? questionna-t-elle en prenant la tasse qu'il lui tendait.

– Non. Au début, je désirais seulement m'excuser, j'ignorais à quel point cette histoire vous avait affectée... et puis, je vous ai vue... Vous m'avez jeté toutes ces accusations au visage. Mais je suis homme qui honore toujours ses dettes, Lorene.

– Et si je vous en délivre?

– Vous n'en avez pas envie, bien au contraire...

Il s'éloigna du lit et alla ouvrir l'armoire d'où il sortit plusieurs paquets soigneusement emballés.

– Faisons comme si c'était Noël, proposa-t-il d'un ton ironique. Lorsque j'ai acheté ces vêtements, j'ai eu du mal à les choisir. J'imaginais la femme que vous auriez dû devenir...

– Et quelle image en aviez-vous?

– Vérifiez vous-même, riposta-t-il.

– Je vous répète que je ne les porterai pas! explosa-t-elle, furieuse.

– Pas de votre plein gré, peut-être, concéda-t-il. Mais méfiez-vous, Lorene, vous vous êtes trop longtemps appesantie sur le passé, cette époque est révolue, vous m'entendez? RÉVOLUE!

– C'est là où vous vous trompez! affirma-t-elle avec véhémence. Ne comprenez-vous pas? Chaque fois qu'un homme me regarde, ou me frôle, je...

– Vous revoyez votre beau-père? J'en suis parfaitement conscient, vous savez... Mais tout n'est pas aussi simple dans votre tête, n'est-ce pas? En vérité, vous me haïssez autant que Bill Trenchard mais lui est mort tandis que moi, je demeure à votre portée, bien vivant. Il est beaucoup plus simple de continuer à alimenter cette haine, de ressasser vos griefs plutôt que de vivre dans le présent.

– Encore une fois, vous vous trompez complètement, jeta-t-elle du bout des lèvres, stupéfaite par sa clairvoyance.

– Je ne partage pas votre avis mais restons-en là pour l'instant, rétorqua-t-il. Alors, qu'attendez-vous pour ouvrir ces sacs? Peut-être préférez-vous que je vous aide à vous déshabiller?

Inexplicablement, elle ne craignait pas qu'il mette sa menace à exécution. Sa fureur était telle qu'elle en oubliait sa peur. Contenant la remarque cinglante qui montait à ses lèvres, elle saisit les paquets et entreprit de les ouvrir avec des gestes nerveux. Elle découvrit dans le premier un ravissant bikini dans les couleurs ocre et safran dont la petitesse la fit rougir. Oliver laissa fuser un rire en voyant son expression choquée et elle se contenta de le fusiller du regard.

Sans un mot, elle défit les autres : l'un contenait un pantalon de coton émeraude très bien coupé et à la mode, avec un tee-shirt assorti décolleté dans le dos. Une jupe superbe en lin crème et un chemisier de soie jaune pâle vinrent ensuite. Oliver avait pensé à des tenues plus simples qu'elle mettrait facilement tous les jours : un jean, un large bermuda kaki et une quantité de tee-shirts et polos aux couleurs vives et gaies. Le contenu du dernier sachet plongea Lorene dans un cuisant embarras : Oliver avait même eu l'impudence de choisir de la lingerie pour elle! Au moment où elle s'apprêtait à laisser éclater son indignation, il déclara :

– Rassurez-vous, il n'y a rien d'extravagant ou d'osé. Quelque chose me disait que ce n'était pas votre style...

– Je préférerais mourir plutôt que de mettre tout cela!

– Mourir? N'est-ce pas une réaction un peu exagérée? railla-t-il. Tâchez de vous convaincre que j'agis pour votre bien. Honnêtement, Lorene, pouvez-vous soutenir que connaître l'amour ne vous intéresse pas?

Une étrange émotion s'empara de la jeune fille et les mots coupants qu'elle voulait prononcer moururent au bord de ses lèvres. Subitement, elle prit conscience du vide terrible qui existait en elle. Donner et recevoir, aimer librement... Un rêve qui lui était interdit, se rappela-t-elle avec amertume. Farouchement, elle songea à ce qui lui avait donné la force de venir en France : la vengeance... Elle ne devait plus se laisser aller à de tels moments de faiblesse.

– Habillez-vous, ordonna-t-il. Et aujourd'hui pas de chignon. Soyez courageuse et faites ce premier pas dans votre nouvelle vie. Vous en êtes parfaitement capable, jeta-t-il avant de la quitter.

Après son départ, la jeune fille demeura un instant tiraillée par des sentiments contradictoires. Et si elle ignorait ses ordres? De quel droit régimentait-il sa vie? Ah, comme elle le détestait! Mais l'affronter serait jouer un jeu dangereux, elle s'en rendait compte. Patience! se dit elle, avec le temps, elle trouverait le défaut de sa cuirasse et alors...

Rassérénée, elle entreprit de se vêtir et porta son choix sur le bermuda kaki, agrémenté d'un chemisier rouge. Elle laissa ses boucles tomber librement sur ses épaules ce qui lui procura une bizarre sensation.

Dès qu'il l'aperçue, Oliver s'empressa de marquer son approbation.

– Ah, beaucoup mieux! Cela vous donne vingt ans de moins. Votre peau est si fraîche, si veloutée. Vous êtes ravissante...

– Inutile de vous perdre en vaines flatteries, dit-elle d'un ton sec. Nous savons tous deux qu'elles sont injustifiées.

– Votre beau-père ne vous a-t-il pas dit que vous étiez désirable? s'enquit-il d'une voix dangereusement calme.

– Je... Laissez-moi, gémit-elle, en proie à une soudaine panique. Vous devez vous en souvenir puisque vous l'avez écrit dans votre article.

– Mais n'était-ce pas ce qu'il vous disait? répéta-t-il en l'empêchant de fuir.

Prisonnière de son étreinte, Lorene sentit son sang-froid l'abandonner. La gorge serrée, elle murmura :

– Oui, *oui*! Oh, je vous en prie!

Incapable de se contrôler plus longtemps, elle éclata en sanglots, brisée par l'émotion. Elle ne se rendit même pas compte qu'Oliver la berçait comme une enfant tant sa détresse était grande.

– Vous ne devez pas avoir honte d'être désirable, Lorene, chuchota-t-il contre son oreille. Bill était malade mentalement. Mon Dieu, si seulement j'avais pu...

– Mais il a affirmé que je l'avais provoqué, coupa-t-elle d'une voix altérée. Vous l'avez cru... Ma mère l'a cru, le monde entier l'a cru!

– Et vous aussi, devina-t-il en la forçant à le regarder.

Toute colère avait disparu de son regard, Lorene y lut de la compassion, une douleur sincère qui, étrangement, ne lui fit pas horreur mais la laissa au contraire étrangement faible.

– Non... je..., balbutia-t-elle en prostestant.

Les jambes tremblantes, elle s'arracha à son étreinte et ne contesta pas lorsqu'il la força à s'asseoir sur une chaise. Jamais personne ne l'avait atteinte de cette manière depuis six ans, provoquant en elle ce torrent de sensations bouleversantes. Jamais personne, à part Oliver...

Il lui tendit une tasse de café et observa d'un ton détaché :

– Ce traumatisme ne sera bientôt plus qu'un souvenir si

vous le voulez; pour cela, votre attitude doit changer et vous en êtes capable.

Comme elle gardait la tête baissée et ne répondait pas, il reprit :

– Bien, je vais vous laisser à présent, il me reste encore beaucoup de travail. Surtout, détendez-vous et tâchez de vous reposer.

– Pour reprendre des forces avant une autre de vos expériences? riposta-t-elle avec amertume.

– Croyez-le puisque vous êtes déterminée à noircir mon personnage à tout prix, rétorqua-t-il sans s'émouvoir. Mais si cela peut vous aider, dites-vous que c'est le destin qui nous a réunis pour nous donner la possibilité d'échapper au passé. Je sais combien cela est pénible pour vous mais il vous faut apprendre à vous confier. Votre vie est gâchée par ce sentiment de culpabilité qui vous hante mais, contrairement à moi, vous n'avez rien à vous reprocher...

Il s'interrompit en voyant son air stupéfait et reprit d'un ton hargneux :

– Oui, je me sens coupable, cela vous étonne? Bon sang, Lorene, me prenez-vous pour un monstre?

Le visage de la jeune fille se ferma, les paroles d'Oliver parvinrent comme un murmure confus à ses oreilles. Elle ne l'écoutait plus. Avec horreur, elle se rendait compte qu'il l'avait manipulée et poussée à parler, à lui révéler des secrets intimes. Il fallait qu'elle lui résiste!

– Lorene! fit-il d'un ton suppliant. A nous deux, nous pourrions...

– Atténuer vos remords, suggéra-t-elle avec sarcasme. Je ne...

– Vous fais pas confiance, termina-t-il, une lueur peinée au fond des yeux. Est-il trop tard pour me racheter?

Se racheter? songea-t-elle avec indignation. Mais ce n'était pas aussi simple... Elle devait se venger d'abord.

Oliver avait avoué s'être trompé à son sujet. Combien d'articles déformés par ses préjugés avait-il écrits? Avec un peu de chance, elle trouverait des doubles de ses anciennes publications et y découvrirait le moyen de le discréditer... Il y avait sûrement des dossiers ici, mais où?

Oliver continuait de parler mais elle ne lui prêtait plus attention. En manœuvrant habilement, elle parviendrait sans doute à lui extraire des renseignements...

– Faites-moi confiance, Lorene, je veux vous aider.

– M'aider?

– Oui, insista-t-il. Un jour ou l'autre, il vous faudra grandir. Car vous n'êtes encore qu'une enfant apeurée.

Il était perspicace, trop même, se dit-elle avec angoisse. Et ne venait-elle pas de lire dans ses yeux une espèce d'agonie? La folie la guettait!

– Pour réussir votre guérison, vous devrez coopérer avec moi, reprit-il avec force. En aurez-vous le courage, Lorene?

Ne percevait-il pas son hostilité? Cela paraissait impossible! Un dur combat se livrait dans l'esprit de la jeune fille : que faire? Accepter son aide et piétiner son orgueil? De cette façon, elle pourrait mieux mettre son plan à exécution... Ou rejeter son offre comme elle en avait tant envie? Mais non, se rebeller était un luxe qu'elle ne pouvait se permettre... La solution la plus sage était encore de faire semblant de capituler.

– Je... J'essaierai, souffla-t-elle d'une voix mal assurée en se gardant de le regarder.

– Vous ne le regretterez pas, promit-il avec feu.

Oliver s'approcha et déposa sur ses lèvres un baiser furtif comme pour sceller leur pacte. Son geste la prit totalement au dépourvu et la plongea dans un étrange émoi, mélange d'excitation, de peur et d'anticipation...

– Je travaillerai dans la salle de séjour, annonça-t-il.

Pourquoi n'iriez-vous pas vous promener et reconnaître les lieux? Ne vous éloignez pas trop, le soleil est traître en cette saison.

– Vous avez raison, c'est une bonne idée, fit-elle, la tête toujours baissée.

– Au fait, Lorene, enchaîna-t-il. J'aime beaucoup cette tenue. Elle vous va bien.

Étonnée par sa remarque, elle lui jeta un coup d'œil surpris et demeura hypnotisée par le regard intense qu'il lui lança. L'espace de quelques secondes, ils restèrent les yeux dans les yeux, incapables de briser l'enchantement.

Ce fut Oliver qui reprit le premier ses esprits. Avec un salut, il se détourna et s'en fut en direction de la salle à manger, laissant Lorene curieusement déçue.

Dehors, la luminosité était aveuglante et le soleil brillait de tous ses feux. Lorene découvrit avec étonnement un élégant patio dallé à l'arrière de la maison, agrémenté de jardinières en grès émaillé. L'endroit avait été laissé à l'abandon et les mauvaises herbes poussaient dans un joyeux désordre dans les interstices des pierres. Elle prit un chemin qui menait à une oliveraie et aperçut la piscine dont la surface était couverte de feuilles. Rectangulaire et sobrement décorée, elle était protégée du vent par une haie de cyprès. L'ancien propriétaire avait fait installer des cabines et un barbecue en briques recouvertes de crépi ocre. L'ensemble était d'une surprenante discrétion et ne ressemblait pas du tout à ce que Lorene avait imaginé. Elle avait sottement cru aux commentaires d'Oliver sur les orgies du peintre et de ses modèles!

Lorene ne s'attarda pas et reprit le chemin de la villa. Au moment où elle traversait le patio, elle se baissa et arracha machinalement une touffe de chiendent, puis une autre et encore une autre... Une demi-heure après, la jeune fille était totalement absorbée par sa tâche. Elle adorait jardiner et cette activité lui procurait une agréable sensation de détente. Les rayons chauffaient son dos; un oiseau chantait dans le lointain, tout était calme. Lorene s'arc-bouta pour tirer une tige récalcitrante et se mit à réfléchir sur sa situation. C'était elle qui avait décidé de venir en France pour assister Oliver dans le but de se venger. Insensiblement, sans qu'elle s'en aperçoive, son plan s'était retourné contre elle. Maintenant, c'était Oliver qui voulait la manipuler! Cet homme possédait une habileté diabolique, serait-elle de taille à l'affronter? Leur escarmouche du matin prouvait que non. N'avait-elle pas capitulé en portant les vêtements qu'il avait choisis? Lorene s'examina d'un air critique : la métamorphose était complète et de plus, elle se sentait parfaitement à l'aise dans cette tenue. Un vrai miracle...

Les mots d'Oliver lui revinrent à l'esprit et elle se rappela l'entretien qu'elle avait eu avec le psychiatre quelques années plus tôt. Comme Oliver, il lui avait dit qu'elle aurait le courage de vouloir sa guérison un jour. Il lui avait aussi suggéré de consigner ses pensées sur un journal intime. Mais Lorene en avait été incapable à l'époque. Exprimer sur papier ses souvenirs torturants, ses angoisses, c'eût été les admettre et ne plus pouvoir les oublier... Mais aujourd'hui, elle envisageait les choses sous un angle différent.

D'un geste décidé, elle lança la touffe de chiendent sur le tas et se frotta les mains avant de se mettre en route vers la villa. Arrivée sur le seuil, elle s'immobilisa et prêta une oreille attentive. A part le bruissement d'une feuille de papier, rien ne venait rompre le silence. Oliver ne voulait pas être dérangé? Eh bien, tant mieux!

Elle se rendit à sa chambre et ôta la terre qui s'était incrustée sous ses ongles avec une brosse. Levant les yeux, elle aperçut son reflet dans la glace au-dessus du lavabo et écarquilla les yeux de stupéfaction. Était-ce bien elle cette femme aux joues roses, au regard si vif et animé? Le changement était subtil mais indéniable, convint-elle à contrecœur. Encore un miracle à attribuer à Oliver...

La jeune fille trouva un bloc-notes dans son sac. S'armant d'un crayon, elle nota quelques phrases avec hésitation tout d'abord puis les mots se bousculèrent sous sa plume. Elle revécut la réapparition d'Oliver dans sa vie, tentant de clarifier ses émotions. Admettre son désir de vengeance fut assez dur et elle resta un long moment indécise avant de le noter. Elle confia la résurgence soudaine de ce passé qu'elle avait réussi à tenir à l'écart pendant si longtemps.

Lorsqu'elle reposa son stylo, Lorene fronçait les sourcils. Étrange comme le fait d'écrire avait eu un effet libérateur... Le psychiatre avait eu raison.

Tout en fixant la page noircie par son écriture, elle songeait à l'attitude d'Oliver à son égard : il l'aiguillonnait, la provoquait, et lui témoignait ensuite une compassion qui semblait sincère. Pourquoi agissait-il ainsi? Il devait sûrement avoir un motif... Il lui faudrait donc être doublement sur ses gardes et ne pas perdre de vue son plan. Malgré tous ses beaux discours, elle avait du mal à croire Oliver quand il prétendait l'aider. Lui, altruiste? Ce serait bien surprenant!

Ils déjeunèrent tous deux d'une salade préparée par Lorene. La jeune fille avait découvert les vestiges de ce qui avait dû être un jardin potager et demanda à Oliver la permission de s'en occuper. Il parut surpris par sa requête.

– Vous aimez jardiner?

– C'est une excellente thérapeutique, répondit-elle évasivement. De plus,...

– Cela vous permet de m'éviter, suggéra-t-il. Eh bien,

n'hésitez pas, si cela vous amuse. Mais méfiez-vous du soleil, vous vous êtes longuement attardée ce matin.

– Vous m'espionniez? s'indigna-t-elle en rougissant.

– Pourquoi? Est-ce un crime? Oui, je vous observais et vous aviez l'air concentré d'une petite fille qui s'applique...

Il se leva et s'approcha de sa chaise en déclarant :

– La prochaine fois, mettez un chapeau. Vos cheveux sont magnifiques mais ne vous protégent pas assez.

Pétrifiée, Lorene le vit saisir une mèche cuivrée qu'il porta à ses lèvres.

– Mmmmm... Ils sentent le thym, le soleil... et la liberté, murmura-t-il en la fixant. Un mélange bien plus capiteux que n'importe quel parfum...

Il se redressa brusquement et enchaîna d'un ton froid :

– Je prendrai mon café dans la salle à manger, il me reste beaucoup à faire. Pourrez-vous vous charger du dîner? Avec un peu de chance, j'aurai le temps de me baigner ce soir et à partir de demain, nous commencerons sérieusement le travail.

Ce revirement subit ne déconcerta pas Lorene outre mesure; elle en avait l'habitude à présent. Une fois seule, elle se surprit à lisser sa chevelure entre ses doigts. Pourquoi se conduisait-il ainsi? Cherchait-il à lui faire peur?

Fronçant les sourcils, elle relut les notes qu'elle avait prises le matin. Son récit reflétait ce qu'elle ressentait à l'égard d'Oliver : de la crainte, de la peur. Mais le fait qu'il connaisse son passé, créait un lien entre eux et elle n'avait pas besoin de se comporter avec lui comme avec les autres, pas besoin de faire semblant. En un sens, cela la soulageait... Soulageait? se dit-elle en se reprenant. Il y avait bien une chose qu'Oliver ne changerait pas, quoi qu'il fasse : sa haine pour les hommes et les relations physiques...

Rageusement, elle jeta son bloc-notes et se dirigea vers la cuisine. Que lui arrivait-il? Elle n'aimait pas du tout le tour que prenaient ses pensées. Il était urgent qu'elle se surveille!

Par bonheur, elle oublia son irritation en se plongeant dans la confection d'un de ses plats favoris : un bœuf bourguignon. Lorene était très douée pour la cuisine mais en vivant seule, elle avait rarement l'occasion de faire profiter les autres de ses talents.

Elle mit le faitout de fonte sur le feu, surveilla un instant la cuisson. Un délicieux fumet envahit bientôt l'atmosphère et Oliver, sans doute par l'odeur alléché, fit son apparition. Il avait l'air fatigué et sa passa nerveusement les mains dans ses cheveux déjà passablement ébouriffés.

– J'ai besoin de prendre l'air, annonça-t-il. Mmm, ça sent bon! Qu'est-ce que c'est?

– Du bœuf bouguigon, mais ce sera prêt dans un bon moment.

– Parfait, alors vous avez le temps de venir vous baigner avec moi, déclara-t-il sur un ton catégorique. Et surtout, n'inventez pas d'excuse, pour une fois!

– Même si je ne sais pas nager? rispota-t-elle d'un ton acide. De toute façon, j'ai des choses à faire de mon côté.

– Ah? dit-il en fronçant les sourcils.

Il semblait sur le point de la questionner et elle pria le ciel pour qu'il n'en fasse rien. Pendant qu'il s'absentait, elle aurait tout le loisir de fouiller la maison à la recherche de ces documents. Elle répugnait d'en arriver là mais elle n'avait guère le choix.

Elle fut interrompue dans ses pensées par Oliver qui sortit de son mutisme pour décréter péremptoirement :

– Désolé, mais si je vous demande de m'accompagner, vous viendrez. Vous êtes mon employée, Lorene, ne l'oubliez pas. Rendez-vous à la piscine dans dix minutes. Sans faute! Oh, et puis mettez le maillot que je vous ai acheté.

Lorene le suivit à l'étage en fulminant. Mais de quoi avait-elle peur exactement? Et elle qui croyait avoir surmonter sa frayeur!

Tout en se déshabillant, elle resta attentive au moindre bruit suspect : elle craignait sans oser se l'avouer qu'il fasse soudain irruption dans sa chambre tout comme Bill Trenchard... Elle l'entendit fermer sa porte; ses pas décrurent dans le couloir et il passa devant chez elle sans marquer de pause. Ouf, sauvée! Sa tension se relâcha et elle exhala un soupir. Le sang s'était retiré de son visage; ses yeux reflétaient son angoisse. Si Oliver la voyait ainsi, il devinerait son émoi mais si elle se terrait à l'intérieur, il viendrait la chercher. Et elle préférait s'épargner cette humiliation.

D'un geste vif, elle passa le maillot de bain et trouva le peignoir qui allait avec. Lorsqu'elle se regarda dans le miroir, Lorene découvrit avec un choc sa silhouette svelte et élancée. Fascinée, elle s'examina longuement, chose qu'elle évitait de faire d'habitude. C'était comme si elle était face à une étrangère aux courbes harmonieuses et à la peau nacrée qui prendrait bientôt une seyante teinte dorée... Avec un sursaut, elle se ressaisit. Elle ne pouvait tout de même pas s'aventurer dehors dans cette tenue qui frisait l'indécence! Autant se promener nue à ce compte-là!

Pourtant, son bikini n'était pas si ridicule, elle avait vu bien pire dans des magazines de modes, reconnut-elle à contrecœur. Pour d'autres, il devait sans doute paraître absolument normal; alors, pourquoi pas elle? Oui, mais... Allait-elle plaire à Oliver? La trouverait-il belle? Encore Oliver, toujours Oliver, pourquoi pensait-elle sans cesse à lui? Il devenait impératif qu'elle corrige cette manie! maugréa-t-elle à mi-voix.

Lorene consulta sa montre et esquissa une grimace. Les dix minutes qu'il lui avait généreusement allouées, étaient écoulées depuis longtemps. Son employeur ne manquerait pas de venir aux nouvelles... D'un geste décidé, elle resserra la ceinture de son peignoir, un peignoir en coton gaufré dont le contact était bien agréable à la peau. Bien entendu, il était bien trop transparent au goût de Lorene et avait dû coûter une fortune si elle en jugeait par la griffe du fabricant. Encore une extravagance d'Oliver...

Elle le trouva allongé au bord de la piscine lorsqu'elle le rejoignit. Il se retourna et la scruta à travers ses paupières mi-closes. Gauche et rougissante, Lorene ne savait trop quelle attitude adopter et fixait un point vague à l'horizon. La seule vue du corps déjà hâlé d'Oliver l'avait plongée dans un trouble indescriptible. Il portait un maillot noir plutôt petit et elle n'avait pu s'empêcher de le trouver terriblement séduisant tout en s'en voulant d'être émue par sa proximité.

– Eh bien, vous en avez mis du temps! Je m'apprêtais à aller vous chercher, lança-t-il sans paraître remarquer son embarras. Venez vous asseoir ici, ordonna-t-il en lui indiquant une chaise longue à côté de la sienne.

Lorene s'exécuta en effectuant une prudente manœuvre pour éviter de passer devant lui. Avec un sourire sardonique, il reprit :

– Vous avez apporté de la crème solaire, j'espère? Quoique, à mon avis, vous ne devez pas facilement attraper de coups de soleil...

Lorene, embarrassée, s'abstint de répondre. Comment lui dire qu'elle ne s'était jusqu'à présent jamais exposée? Cela lui semblerait incroyable. Mais la seule pensée de dévoiler son corps aux regards indiscrets d'inconnus la révoltait. Elle ne se rappelait que trop bien les coups d'œil concupiscents de Bill...

– Inutile de prendre cet air affolé, murmura-t-il avec ironie. Et puis détendez-vous et allongez-vous au lieu de vous tenir aussi raide!

Il se redressa brusquement, fixa la jeune fille un instant avant d'enchaîner :

– Tenez, passez-moi de la crème dans le dos. Contrairement à vous, je n'ai pas envie de rôtir...

Il s'allongea sur la serviette à plat ventre après lui avoir tendu le flacon et ordonna d'une voix étouffée :

– Commencez par les épaules, voulez-vous?

Pétrifiée, Lorene le contemplait. Tout son être se rebellait à l'idée de toucher ce corps athlétique admirablement proportionné. Elle n'y arriverait pas, c'était au-dessus de ses forces!

– Alors? Que se passe-t-il? jeta-t-il d'une voix dure. Je vous prie, n'allez pas une fois de plus m'assimiler à Bill Trenchard. Je ne lui ressemble pas. Si vous croyez que je vais en profiter pour vous agresser, vous vous trompez lourdement! Contrairement à votre beau-père, je suis un être contrôlé et je sais contenir mes pulsions.

Il se retourna, lui adressa un regard teinté de sarcasme et gronda d'une voix exaspérée :

– Oh, et pour l'amour du ciel, ôtez ce peignoir! Je vais finir par en conclure que vous souhaitez que je vous l'enlève...

La menace implicite eut son effet et Lorene se débarrassa vivement de son vêtement qu'elle plia avec soin. Oliver la regardait sans pouvoir réprimer un sourire.

– Très efficace, ce stratagème, murmura-t-il d'un air satisfait. Si j'avais su, je l'aurais utilisé avant...

Lorene se figea, comprenant qu'il avait réussi à obtenir une fois de plus ce qu'il désirait. Avec quelle facilité, il se jouait d'elle! Elle était maintenant à sa merci, captive de ce regard intense rivé sur elle... La jeune fille éprouva une violente envie de fuir loin, très loin... Le souvenir des yeux injectés de sang de son beau-père revint assaillir sa mémoire, provoquant un insurmontable dégoût. Juste au moment où elle était sur le point d'hurler, Oliver se retourna à plat ventre et déclara d'un ton nonchalant :

– Pas mal, vous n'êtes pas mal du tout, vous savez. Enfin, pas plus mal qu'une autre en cas. Bien sûr, vous êtes un peu blanche mais vous prendrez vite des couleurs ici... Maintenant, si vous aviez l'extrême bonté de me passer de la crème...

Son commentaire la déçut de façon inexplicable. Mais à quoi s'était-elle attendue au juste? Oliver n'était pas Bill et de plus, il avait l'habitude de côtoyer de superbes femmes. Rien d'étonnant à ce qu'elle le laisse indifférent! Et après tout, n'était-ce pas ce qu'elle désirait?

Lorene versa un peu de crème dans les paumes de ses mains et s'absorba rapidement dans sa tâche avec fascination. Jamais elle n'aurait cru si agréable de masser ainsi la peau gorgée de soleil d'un homme. Sous ses doigts, elle percevait ses muscles. Il avait la peau si douce! Timidement, elle effleura sa colonne, remontant jusque en haut du dos. La voix moqueuse d'Oliver lui fit brutalement suspendre son geste.

– Je vous ai demandé de me mettre de la crème, pas de prendre une leçon d'anatomie masculine, gronda-t-il avec humeur.

– Excusez-moi, je... balbutia-t-elle, confuse.

– Ne me dites pas que vous y preniez plaisir, j'aurais du mal à vous croire, railla-t-il. Vous qui m'accusez de me livrez à des expériences, j'ai l'impression que c'est justement ce que vous étiez en train de faire! Alors, la prochaine fois, ne me le reprochez pas. Avez-vous seulement conscience de l'effet que vos mains ont sur moi, Lorene? s'enquit-il en apercevant son air stupéfait. Quand vous me touchez, cela éveille en moi des réactions très voluptueuses... érotiques même...

Il s'interrompit devant l'expression sceptique de la jeune fille.

– Vous ne me croyez pas? Il ne me reste donc qu'à vous faire une démonstration pour vous convaincre.

Avant qu'elle n'ait eu le temps de deviner son intention, il s'était emparé de ses poignets et l'obligeait à s'allonger par terre à côté de lui. En quelques secondes, elle se retrouva dangereusement proche de son corps si viril. D'un geste assuré, il enlaça sa taille et la contempla avec intensité. Désarçonnée, elle le fixait d'un regard incrédule.

– Oliver... Non... je vous en supplie, balbutia-t-elle dans un murmure. Non...

– Décidément, vous n'avez que ce mot à la bouche, soupira-t-il. Je ne vous veux aucun mal, je vous assure. Restez simplement tranquille.

La lueur qu'elle avait surprise dans son regard avait disparu. Avait-elle rêvé cette flamme ardente qui avait un instant brillé dans ses prunelles? Il la regardait à nouveau d'un air froid et calculateur; pourtant, Lorene avait l'intuition qu'il se contrôlait et masquait ses émotions réelles.

– Restez tranquille, répéta-t-il d'un ton sans réplique.

6

Pétrifiée, Lorene aurait été bien incapable de se rebeller, cette fois. Les minutes s'écoulaient avec une insupportable lenteur et elle se raidissait dans l'attente d'une catastrophe imminente. Pourtant, jusqu'à présent, Oliver s'était contenté de faire pénétrer la crème en dessinant de larges arabesques sur son dos, rien de plus. Peu à peu, elle se détendit, savourant l'exquise sensation que lui procurait ce massage. Les paupières closes, elle se sentit sombrer dans une agréable torpeur. Quand elle ouvrit les yeux un instant plus tard, Oliver était penché sur elle, et arborait une expression indéchiffrable.

– Maintenant, je vais vous montrer ce que vous faisiez tout à l'heure, annonça-t-il subitement en augmentant la pression de ses doigts.

Il se mit à explorer son dos de façon sensuelle et effleura le creux de ses reins, délimitant le contour de ses hanches. Oliver continua son mouvement de va-et-vient incessant qui plongea Lorene dans un émoi indescriptible. Était-ce vraiment ainsi que ses mains avaient caressé son corps? se demanda-t-elle, atterrée. Et avait-il éprouvé le même trouble qu'elle?

Éperdue, elle le regarda de ses grands yeux dorés et il murmura doucement :

– Vous comprenez à présent?

– Mais, je...
– Chut!

Il relâcha son étreinte et Lorene se retrouva allongée sur la serviette, Oliver penché au-dessus d'elle. Elle tenta de bouger mais il l'en empêcha en agrippant ses épaules... Un hurlement de terreur monta à ses lèvres puis un voile noir obscurcit sa vue. Elle eut l'impression de tomber dans un gouffre sans fond...

Le brouillard se dissipa péniblement, elle entendit Oliver l'appeler d'une voix où perçait de l'anxiété. En ouvrant les yeux, elle s'aperçut qu'elle était toujours allongée par terre. Oliver, accroupi à côté d'elle, se tenait à distance respectueuse.

– Ça va mieux? s'enquit-il.
– Que...
– Vous vous êtes évanouie, déclara-t-il d'un ton brusque en scrutant le ciel. La température a fraîchi, nous ferions bien de rentrer. Allez-y, je vous rejoindrai. Il faut que je range les chaises longues... N'oubliez pas votre peignoir.

Lorene se baissa pour le ramasser et prit sans un mot le chemin de la villa. Pourquoi Oliver paraissait-il si furieux? se demanda-t-elle, étonnée. Était-ce parce qu'elle avait perdu connaissance? Ou que son expérience avait lamentablement échoué? Mal à l'aise, elle réprima un frisson d'appréhension. Mais pourquoi diable avait-elle tenu à devenir l'assistance d'Oliver? Oh, comme elle regrettait sa décision stupide! Et quelles étaient les intentions du jeune homme à son sujet?

L'idée qu'il puisse avoir un plan la hanta pendant les jours qui suivirent; peut-être un piège se refermait-il inéluctablement sur elle... Par bonheur, elle n'eut plus guère le loisir de ressasser ses sombres pensées par la suite : Oliver se mit sérieusement au travail, ce qui laissa à la jeune fille peu de temps libre.

Son pouvoir de concentration impressionna Lorene. En moins de trois jours, il termina presque le premier chapitre. L'histoire n'était pour l'instant pas encore très définie mais le héros apparaissait avec plus de netteté : un homme poursuivi par un terrible sentiment de culpabilité, coupable d'un crime qu'on ignorait encore. Tandis qu'elle dactylographiait le manuscrit, Lorene se prit à sympathiser avec cet homme; ses angoisses, les affres qu'il vivait lui paraissaient étrangement familières. Mais elle se gardait d'approfondir ce lien qui la reliait au héros, il restait confusément en marge de son subconscient comme si elle se refusait à l'admettre ou à le comprendre. C'était une étape que Lorene n'était pas encore prête à franchir... Il était bien trop tôt.

Au fur et à mesure que progressait son livre, Oliver devenait plus taciturne; durant les repas, il demeurait peu loquace. L'incident survenu au bord de la piscine paraissait appartenir à un passé lointain. Pourtant, Lorene ne l'avait pas effacé de sa mémoire. La nuit, lorsqu'elle avait du mal à dormir, elle se rappelait le contact de ses mains sur sa peau, les émotions qui avaient déferlé en elle...Les avait-il ressenties, lui aussi? La pensée qu'il ait pu être troublée l'exaltait inexplicablement. Peut-être ne lui était-elle pas aussi indifférente, après tout?

Chaque matin, Lorene jardinait en attendant qu'Oliver remette de l'ordre dans ses notes. Elle aimait beaucoup cette activité; pendant une demi-heure passée dans une apaisante solitude, elle avait l'opportunité de réfléchir, de se pencher sur son douloureux passé. Lorene cherchait toujours un moyen de se venger et consignait ses espoirs sur son journal intime. Malgré tout, elle n'avait pu se résoudre à fouiller les affaires d'Oliver, ni à le questionner.

Elle livrait une bataille perpétuelle avec sa conscience,

ignorant ses doutes pour les voir ressurgir avec une persistance accrue. Son désir de faire payer Oliver n'était-il pas sordide? Avait-elle raison de s'acharner? Il était hélas trop tard pour reculer...

Lorene délaissa un jour le jardin pour la piscine. Oliver venait de lui annoncer qu'il n'avait pas de travail pour elle; l'après-midi était à peine entamé et Lorene ressentit le besoin de s'allonger au soleil. Elle se mit en tenue et le bikini lui parut moins choquant que la première fois. Mais elle conserva néanmoins son peignoir.

Les abords de la piscine étaient déserts et elle installa une chaise longue face aux brûlants rayons. Après y avoir posé une serviette, elle s'enduisit de crème et se laissa aller en arrière avec un soupir de volupté. Elle ne garda pas les yeux longtemps ouverts : la réverbération du soleil sur la surface lisse de l'eau l'aveuglait et la chaleur la plongeait dans une agréable torpeur... Quelques instants après, Lorene s'assoupit en songeant au changement qui s'était opéré en elle depuis son arrivée en France; désormais elle ne portait plus de chignon mais laissait ses cheveux libres sur ses épaules; elle avait même fini par aimer les vêtements achetés par Oliver et elle prenait plaisir à les mettre... La jeune fille eut une dernière pensée pour l'écrivain avant de sombrer dans un profond sommeil...

La curieuse sensation de ne plus être seule lui fit ouvrir les yeux et elle découvrit avec stupeur Oliver qui la contemplait d'un air sombre. Lorene se releva avec précipitation tandis qu'il lançait :

– Ne m'avez-vous pas entendu? Je vous appelais.

– Non, je dormais... Mais j'étais persuadée que vous n'auriez pas besoin de moi et...

Sans un mot, il effleura son épaule et elle grimaça, s'apercevant qu'elle était toute rouge.

– Franchement, je vous croyais plus sensée. Regardez! Vous êtes cramoisie!

Lorene se raidit, étonnée par la fureur qu'elle lisait dans son regard. D'accord, elle n'avait pas agi de façon très maligne mais ce n'était pas une raison pour se mettre dans un tel état!

– J'ignorais que vous étiez là, ajouta-t-il d'un ton brusque. Je vous croyais partie.

– Partie?

– Oui, partie, disparue, enfuie, gronda-t-il, furieux. Quel idiot!

– Il faisait si beau, j'ai eu envie de prendre le soleil, balbutia-t-elle maladroitement.

– En effet, c'est ce que je vois... Et vous l'avez même bien pris, nota-t-il en remontant la bretelle de son maillot qui avait glissé.

A ce contact, Lorene fut parcourue d'un frisson de plaisir. Cette découverte la troubla tant qu'elle se raidit.

– Bon sang! Je ne vais pas vous violer! s'exclama-t-il, hors de lui. Je vous ai répété maintes fois que ce n'était pas mon style... Quoique votre attitude pourrait être parfois interprétée comme une invite. Je ne sais pas si vous vous en rendez compte mais...

Lorene ne l'écoutait plus. Oliver venait de l'accuser de la même façon que Bill Trenchard! Ses paroles blessantes se faisaient l'écho de celles de son beau-père et elle ne voulait pas les entendre! En proie à une sourde angoisse, elle se leva en se bouchant les oreilles et se dirigea droit devant elle, tête baissée.

Oliver lui cria quelque chose mais elle poursuivit sa course aveugle. Dans sa hâte, elle glissa sur la margelle et ce fut la chute... Avec un hurlement de terreur, elle plongea dans l'eau limpide de la piscine en se débattant avec une énergie farouche. Mais ses efforts pour rejoindre la surface furent vains : elle avait l'impression de s'enliser et de sombrer toujours plus profond... Affolée, elle ouvrit la bouche et manqua suffoquer. Au moment où ses pieds touchaient enfin le fond, elle sentit qu'on lui tirait son bras et qu'on l'enlaçait. Persuadée qu'on voulait la tuer, elle lutta de toutes ses forces contre son agresseur mais il tenait bon... Tout à coup, elle eut la sensation d'étouffer et sombra dans un gouffre envahi par les ténèbres...

Quelqu'un la forçait à respirer et comprimait sa cage thoracique. Elle avait si mal! Saisie de nausée, elle émit un gémissement rauque et se recroquevilla en attendant que le moment passe. Un bruit de respiration haletante parvenait faiblement à ses oreilles. Oliver? Au prix d'un violent effort, elle souleva ses paupières et le vit. Son jean et son tee-shirt étaient trempés, ses cheveux plaqués sur son visage. Quant à elle, elle était allongée sur la margelle.

– La prochaine fois que vous déciderez de marcher sur l'eau, prévenez-moi, articula-t-il avec difficulté. Que s'est-il passé? Aviez-vous envie de vous noyer parce que je vous avais touchée?

Elle voulut parler mais aucun son ne franchit ses lèvres. Sa gorge était bien trop douloureuse et elle avait du mal à rassembler ses idées. La jeune fille se mit à trembler convulsivement et n'émit aucune protestation lorsqu'il la souleva dans ses bras pour la ramener à la villa. Sans s'en rendre compte, elle se blottit contre lui. Comme elle était bien ainsi! se dit-elle avec un soupir d'aise. Elle était à l'abri, protégée...

Oliver interrompit ses pensées en déclarant d'un ton sans réplique :

– A partir de demain, vous allez apprendre à nager. Vous aimez peut-être jouer les martyres mais pas moi! J'ai déjà assez de soucis comme cela.

Il poussa la porte de sa chambre d'un puissant coup de pied et alla la déposer sur son lit.

– Surtout, ne bougez pas, ordonna-t-il. Vous allez sûrement avoir mal au cœur mais cela n'a rien d'étonnant avec toute l'eau que vous avez avalée.

– Où allez-vous? s'enquit Lorene d'une voix faible tandis qu'il s'éloignait.

– Vous préparer un bain. Vous tremblez de froid et le choc vous a éprouvée, déclara-t-il avant de quitter la pièce.

Soulagée, elle ne protesta pas et se laissa aller sur son oreiller. Un instant, elle avait eu peur qu'il ne l'abandonne mais elle n'aurait jamais pu se résoudre à lui demander de rester. Son orgueil l'en aurait empêchée. Ravie d'être prise en charge, elle se sentit glisser dans une agréable torpeur et songea avec délices au contact de l'eau chaude sur sa peau glacée.

– Lorene!

Surprisc, cllc sursauta ct sc tourna vers Oliver. Il s'était changé et portait un peignoir assez court. Pour une fois, elle ne rougit même pas en le voyant dans cette tenue; sa fatigue était telle qu'elle se contenta d'enregistrer mentalement ce détail.

– Pour l'amour du ciel, ne vous évanouissez pas une troisième fois! fit-il en la guidant dans le couloir après l'avoir aidée à se lever.

Lorsqu'ils furent arrivés dans la salle de bains, Oliver alla vérifier la température de l'eau. Satisfait, il ordonna :

– Allez-y. Je vous avertis, je reste pour vous surveiller, ajouta-t-il en devançant sa protestation. Dans votre état de faiblesse, vous pourriez très bien vous noyer en vous endormant.

Oliver avait raison, convint-elle, elle était trop faible pour résister. Il était préférable de lui obéir sans discuter. Il l'aida à se déshabiller et elle se laissa faire, inerte comme une poupée de son.

Quand elle se retrouva nue devant lui, il marqua une légère pause et la contempla intensément en murmurant son nom d'une voix rauque. Mais elle ne remarqua même pas le changement qui s'était opéré dans son expression; tout s'était mis à tourner devant elle et elle vacilla dangereusement. Sans perdre une seconde, il la rattrapa et la plongea dans l'eau chaude. En l'espace de quelques secondes, Lorene se sentit revivre et ses joues reprirent un peu de couleur. A nouveau, elle fut sur le point de s'assoupir et Oliver, pressentant le danger, l'obligea à sortir de la baignoire. Pourtant, elle y serait volontiers restée toute la nuit!

A peine était-elle dehors qu'il la frictionnait vigoureusement avec une serviette. Il était d'une efficacité telle qu'elle en eut presque le souffle coupé. Il lui faisait mal, sa peau était à vif! Comme elle émettait un cri de douleur, il s'exclama d'un ton ironique :

– Cela va mieux à ce que je constate. Vous voilà redevenue vous-même... Ne bougez pas, je vais vous chercher du cognac en bas. Mais que diable s'est-il passé? Préfériez-vous vous noyer plutôt que d'endurer le contact de ma main sur vous? s'enquit-il, les yeux assombris par la colère.

– Non, ce n'était pas à cause de cela. Ce sont vos paroles qui m'ont blessée, admit-elle dans un murmure.

– Mais qu'ai-je donc dit? fit-il en l'enveloppant dans un de ses peignoirs.

– Vous avez dit que j'avais une attitude provocante.

– Et cela a suffi pour que vous vous précipitiez tête première dans la piscine? s'étonna-t-il, visiblement incrédule.

– C'est ce dont Bill Trenchard m'a accusée, souffla-t-elle. Avant de m'agresser, il a... il a...

La gorge serrée, Lorene fut incapable de poursuivre. La terreur qu'elle avait éprouvée à ce moment-là revenait

clairement à sa mémoire. En percevant son désarroi, Oliver cessa brusquement de sécher ses cheveux et se recula, livide tout à coup.

– Mon Dieu, vous avez dû penser que... Oh, Lorene, je... Attendez-moi, commanda-t-il d'une voix mal assurée. Je n'en ai pas pour longtemps.

A présent, il se montrait attentionné envers elle, nota-t-elle machinalement. Comme toujours quand il avait été particulièrement odieux... Cela faisait partie de ses expériences, sans doute, mais elle n'avait pas l'énergie de se défendre. Tout ce dont elle rêvait pour l'instant, c'était de se blottir dans ses bras et... Lorene se ressaisit brusquement, stupéfaite et horrifiée par la tournure que prenaient ses pensées. Comment était-ce possible? Elle avait l'impression de s'être trahie!

Mais avant qu'elle ait pu prendre pleinement conscience de l'importance de sa découverte, Oliver était de retour, un verre rempli d'un liquide ambré à la main. Son air sombre, détaché, lui parut de mauvais augure.

– C'est pour vous, buvez. Ensuite, il faudra que je m'occupe de vos épaules si vous ne voulez pas rester clouée au lit demain matin.

Le cognac mit la gorge de Lorene à feu mais la réchauffa agréablement. Elle eut bientôt la bizarre sensation de flotter sur un nuage et se sentait détendue, libre... En souriant, elle noua les bras autour du cou d'Oliver quand il la souleva pour la porter jusqu'à son lit.

– Attention, Lorene, marmonna-t-il. Cessez ce petit jeu, je ne suis pas de marbre... Au fait, où est votre chemise de nuit?

Elle la lui indiqua d'un signe de tête et il fronça les sourcils en découvrant le volumineux vêtement de coton qui se boutonnait jusqu'au cou.

– Trop épais, maugréa-t-il d'un ton bref. Avez-vous quelque chose de plus léger? Sinon, cela sera fort désagréable sur vos coups de soleil...

Devant son signe de dénégation, il continua :

– Malheureusement, je n'ai rien à vous prêter. Je préfère dormir nu. Vous devriez essayer, c'est tellement plus... voluptueux, ajouta-t-il dans l'espoir de la choquer.

– C'est une idée, je suivrai votre conseil, fit-elle en étouffant un bâillement.

Si elle en avait eu la force, Lorene aurait éclaté de rire en voyant l'expression médusée de son compagnon. En proie à un irrésistible fou rire, elle le considéra d'un air moqueur. Peut-être était-ce à cause de l'alcool mais elle se sentait si gaie, si insouciante...

– Je vous avertis, il va falloir que j'enlève votre peignoir pour passer une lotion sur vos épaules, fit-il en fronçant les sourcils.

– Cela m'est égal, rétorqua-t-elle. Après tout, vous n'êtes pas mon beau-père, n'est-ce pas?

– Non, en effet, jeta-t-il d'un ton bref en lui décochant un coup d'œil courroucé. Ne bougez pas, j'en ai pour une minute.

Il revint quelques instants plus tard en brandissant un flacon.

– C'est de la Solarcaïne, annonça-t-il. J'en ai toujours en réserve. Les enfants de ma sœur attrapent régulièrement des coups de soleil lorsqu'ils viennent ici.

– Vous avez une sœur? murmura Lorene.

– Oui, cela vous étonne? Elle est mariée à un médecin généraliste et ils ont quatre enfants; le premier a vingt ans et le dernier, douze.

C'était la première fois qu'Oliver lui parlait de sa famille et Lorene se rendit compte qu'elle ignorait beaucoup de choses au sujet de cet homme. Tant de points demeuraient dans l'ombre...

– Asseyez-vous, ordonna-t-il.

La jeune fille se mit péniblement sur son séant. Sa tête

dodelina; elle avait l'impression d'être lourde, si lourde... Avec des gestes empreints de douceur, Oliver fit glisser le vêtement de ses épaules qui commençaient sérieusement à lui fairc mal.

Quand il fit pénétrer le produit sur sa peau enflammée, elle ferma les yeux et exhala un soupir de bien-être. Au contact de ses doigts, la douleur s'estompait peu à peu, cédant la place à... quoi? Lorene n'aurait su donner un nom aux sensations qui la submergeaient par vagues successives mais c'était si bon... Sans qu'elle s'en rende compte, elle effleura le peignoir d'Oliver et en écarta les pans pour caresser son torse viril.

– Lorene? chuchota-t-il d'une voix curieusement altérée. Vous n'allez pas vous endormir au moins?

Elle se força à lever les paupières et le fixa d'un air absent. Lorene était fascinée, perdue dans la contemplation du cou de son compagnon. Timidement, elle l'explora du bout du doigt et descendit jusqu'à ses épaules. Elle sentit les muscles du jeune homme se raidir et s'enquit d'une voix ensommcillée :

– Cela vous ennuirait-il si je m'assoupissais?

– Pas du tout, si cela vous est égal de vous réveiller dans mes bras, riposta-t-il. Et dans mon lit...

Évidemment, elle n'en avait aucune envie! se dit-elle dans un sursaut. Lorene le regarda reboucher le flacon mais quand il fit mine de se retourner, elle s'agrippa à lui, enfouissant sa tête dans les plis de son vêtemcnt.

– Lorene!

Oliver avait prononcé son nom d'un ton contraint et l'obligea à l'affronter en lui soulevant le menton. Mais Lorene voulait rester dans ses bras. L'espace d'un instant, elle avait ressenti un sentiment de béatitude, de confort total, un peu comme lorsqu'elle était enfant et voulait que ce bonheur dure...

– Ne me laissez pas, Oliver, souffla-t-elle. J'aimerais vous avoir avec moi.

– Vraiment? fit-il, son visage dénué d'expression. A mon avis, vous n'êtes pas en mesure d'avoir conscience de ce que vous dites. Savez-vous à quoi vous vous exposez? Très bien, nous allons voir...

Sa voix s'était durcie et la panique envahit subitement Lorene. Elle eut un mouvement de recul mais il emprisonnait déjà ses bras, rendant toute lutte vaine. Ses efforts pour se dégager servirent seulement à faire glisser un peu plus bas son peignoir. Elle entendit l'exclamation étouffée d'Oliver et vit son regard se diriger sur sa poitrine dénudée. Il paraissait en transe. Alors, une peur instinctive s'empara de Lorene, noyant tout le désir qu'elle avait pu éprouver. Les angoisses un moment oubliées revinrent l'accabler en force.

– Oliver, non, je vous en prie...

– Ne vous dérobez pas une fois de plus, murmura-t-il d'une voix mal assurée. Je vous en supplie, Lorene, ne refusez pas.

Il la contemplait intensément, tel un homme ensorcelé et tandis qu'il l'obligeait à s'allonger sur le lit, Lorene tenta d'ignorer la traîtresse réponse de son corps.

– Si vous me touchez, je vous haïrai, balbutia-t-elle d'une voix étranglée, les yeux agrandis par la frayeur.

– Non, je vous promets que vous ne me haïrez pas, jura-t-il.

Il baissa la tête et effleura ses lèvres avec douceur dans une imperceptible caresse. De ses mains, il massait la nuque de la jeune fille pour la forcer à se décontracter.

– Nouez vos bras autour de mon cou, commanda-t-il.

Incapable de résister à ses intonations chaudes et graves, Lorene lui obéit. Oliver avait ôté son peignoir et le contact de sa peau sur la sienne lui procura un choc. En hésitant d'abord puis en prenant de plus en plus d'assurance, elle explora son dos si doux, si lisse.

Oliver déposait une pluie de baisers sur son visage. Quand il caressa de ses lèvres chaudes son cou et sa gorge, elle tressaillit de plaisir. Que lui arrivait-il? Elle était pourtant frigide, alors qu'étaient ces émotions qu'Oliver faisait naître en elle?

Lorene ne put répondre à ces questions. Il venait de s'emparer de sa bouche et elle manqua défaillir en sentant ses mains caresser la pointe de ses seins durcis et descendre toujours plus bas. Il abandonna un instant ses lèvres pour chuchoter d'une voix rauque :

– Oh, Lorene, si vous saviez le pouvoir que vous détenez sur moi... Vous me rendez fou!

A ces mots, elle émit un gémissement qu'il étouffa d'un baiser qui trahissait l'ampleur de son émoi. La jeune fille n'était pas préparée à un tel assaut de sensations. Avec impétuosité, son compagnon venait de l'entraîner à la découverte d'un monde nouveau dont elle n'avait jusque-là jamais soupçonné l'existence.

Même dans ses rêves les plus insensés, Lorene n'aurait cru vivre une telle félicité. Elle désirait ardemment se blottir contre Oliver, ne faire plus qu'un avec lui. Comme s'il avait lu dans ses pensées, il la serra plus fort et le contact de leurs deux corps enlacés décupla la fièvre de Lorene qui se mit à trembler dans ses bras. Puis soudain, elle perçut le raidissement subit de son compagnon et sa tension ne lui échappa pas. Que se passait-il? se demanda-t-elle avec appréhension.

– Vous n'êtes pas frigide, Lorene, déclara-t-il d'une voix profonde et musicale. Et vous le savez parfaitement!

Cette remarque lui fit l'effet d'une gifle. Un instant, elle crut suffoquer puis s'écria, brisée :

– Non, je...

– Vous avez répondu à mes caresses, coupa-t-il d'un ton rude.

Tout à coup, Lorene reprit pied avec la pénible réalité.

Tout était clair à présent : l'expérience d'Oliver, ses menaces, sa détermination à faire d'elle une « femme normale »... Elle se débattit farouchement pour échapper à son étreinte, emplie de dégoût pour elle-même. Comment avait-elle pu se laisser prendre au piège? *Comment?*

– Cessez de vous battre contre vous-même, fit-il doucement en l'immobilisant sans effort.

Lentement, il se mit à caresser son visage de ses lèvres, sensuellement, traçant un sillon de feu sur son passage jusqu'à ce que Lorene entrouve la bouche, prête à recevoir son baiser, vaincue par une force contre laquelle elle n'était pas de taille à lutter...

Le moment magique se prolongea et Lorene expérimenta à nouveau ces sensations irréelles qu'Oliver savait provoquer en elle. Une fois de plus, elle se noya dans un océan de volupté, submergée par le désir qui bouillonnait dans ses veines...

Flottant dans un monde féerique, elle ne prit pas tout de suite conscience du bruit qui avait attiré l'attention de son compagnon.

– J'entends une voiture, annonça-t-il d'un ton bref. Je me demande qui cela peut être...

Oliver contempla la figure rosie de Lorene, ses yeux embués par l'émotion et ajouta, ironique :

– Après tout, cette interruption est plutôt providentielle... pour nous deux.

Il se leva d'un mouvement souple et remit son peignoir avant de quitter la pièce. Après son départ, la jeune fille demeura un long moment figée, à fixer le plafond. Puis, la façon dont elle s'était abandonnée dans ses bras lui revint à l'esprit et elle se mit à trembler, envahie par un cuisant sentiment de honte. Et Oliver, qu'avait-il voulu prouver? Pensait-il qu'il la transformerait en femme normale en lui faisant l'amour? Comment pouvait-il être si vain et odieux? Et elle qui était venue dans le but d'accomplir sa vengeance... mais au lieu de cela, elle était bel et bien tombée dans son piège. Quelle idiote!

Lorene entendit distinctement une voiture se garer dans le jardin puis des portières claquer bruyamment. Des gens se saluaient avec gaieté et bavardaient avec animation. Elle reconnut la voix d'Oliver qui criait :

– Lorene, ma sœur et ses enfants viennent d'arriver. Ne vous croyez pas obligée de descendre. Ils passeront juste la nuit ici et repartent demain.

Lorene saisit immédiatement le sens implicite de cette phrase : Oliver n'avait guère envie que Lorene participe à leur réunion familiale... De rage, elle se mit à marteler son oreiller de coups de poing pour laisser éclater son ressentiment. Oh, comme elle détestait cet homme! Elle le haïssait jusqu'au plus profond de son être et se jura de ne plus jamais avoir un moment de faiblesse dont il puisse profiter...

7

Lorene fut prête très tôt le lendemain matin. Pour rien au monde elle n'aurait voulu avouer la curiosité qui la dévorait à l'idée de rencontrer la sœur d'Oliver. Pour se donner bonne conscience, elle prépara du café et mit des croissants à réchauffer dans le four.

La porte de l'office s'ouvrit soudain et Lorene contint avec peine une exclamation de surprise en se trouvant confrontée à deux jeunes gens.

– Bonjour! fit le plus jeune en souriant. Vous devez être la secrétaire d'oncle Oliver. Il a bien de la chance!

Ainsi, elle avait affaire au neveu le plus âgé d'Oliver, celui de vingt ans probablement. Son compagnon adressa un sourire séducteur à Lorene qui ne put s'empêcher de rougir.

– Arrête, Charles, tu troubles cette charmante jeune fille. Surtout, ne faites pas attention à lui, ajouta-t-il à l'adresse de Lorene. Il n'est pas méchant. Je me présente : Richard, le neveu d'Oliver et voici Charles Hawley, un ami à moi. Nous avons fait une halte ici avant de reprendre la route pour l'Espagne. Ma mère s'inquiète toujours au sujet de son petit frère adoré et elle a voulu s'assurer que tout allait bien. Elle l'imagine victime d'une horrible femme intéressée par son argent dès qu'elle le perd de vue... Ridicule, n'est-ce pas?... Au fait, avez-vous besoin d'aide?

Voyant le signe de dénégation de Lorene, il enchaîna :

– Dans ce cas, nous avons juste le temps de nous baigner avant le petit déjeuner. A tout à l'heure!

Lorene tenta de se rappeler les paroles d'Oliver avant de mettre la table. Il avait bien dit que sa sœur avait quatre enfants? Ils seraient donc huit, elle y compris, bien sûr. A moins que la nouvelle venue n'apprécie pas la présence de la secrétaire de son frère...

Une demi-heure après, entourée d'Oliver et de sa sœur, Lorene se rendit compte à quel point elle avait eu tort de craindre une réaction hostile ou hautaine. Elisabeth Turner semblait une femme au caractère paisible et ouvert. Elle souriait fréquemment et il se dégageait de sa personne une impression de chaleur et de spontanéité qui conquit immédiatement Lorene. Physiquement, elle ressemblait beaucoup à Oliver.

– Ainsi, Graham n'a pas pu venir, remarqua ce dernier. Quel dommage!

– Oui, acquiesça Elisabeth. Heureusement, les garçons sont là pour m'aider. Ils surveilleront les enfants.

– A mon avis, tu te trompes, riposta Oliver. Ils préféreront sans doute découvrir les trésors que recèlent les plages espagnoles.

Richard rougit et baissa le nez dans son assiette; Charles, quant à lui, se contenta de décocher un regard entendu à Lorene. Le jeune homme était beaucoup moins innocent que le fils d'Elisabeth; ses deux années de plus lui donnaient une maturité et une plus grande confiance en soi. Elle eut l'impression qu'il déplaisait à Oliver.

Tandis qu'ils bavardaient, Lorene étudiait les membres de la famille Turner avec intérêt. Richard vouait une admiration visible à son oncle mais se destinait à une carrière médicale comme son père. Après lui venaient des jumeaux de quinze ans qui se ressemblaient de façon déconcertante mais tranchaient sur les autres par leur blondeur, héritée de Graham. Anna était la dernière, elle tirait plutôt du côté de sa mère.

– Richard et Anna sont dotés des caractéristiques des Shaw, déclara Elisabeth tout en aidant Lorene à desservir... Au fait, enchaîna-t-elle, comment se déroule votre collaboration avec mon frère? Ce ne doit pas être facile, étant donné son mauvais caractère...

– Pas du tout, répliqua Lorene, c'est un travail très stimulant que j'apprécie beaucoup.

– Si vous le dites... Mais je préfère être à ma place plutôt qu'à la vôtre, riposta Elisabeth. A propos, comment progresse son nouveau livre?

– Pour tout vous avouer, je ne sais pas très bien. Il raconte l'histoire d'un homme en proie à un terrible sentiment de culpabilité pour une faute qu'il a commise dans le passé.

– Connaissant mon frère, le livre va devenir un autre best-seller... Au fait, comment se fait-il que vous l'aidiez? Oliver n'emploie généralement pas de secrétaire...

– Elle me l'a proposé et j'ai dit oui, intervint Oliver en apparaissant dans la cuisine. Elisabeth, j'ai bien peur que tes enfants ne s'ennuient. Si tu veux, nous pourrions visiter Arles cet après-midi. Ce matin, j'ai des recherches à effectuer et je serai occupé.

– Très bien, soupira Elisabeth, j'ai bien saisi le message. Je vais tâcher de les faire tenir tranquilles dans ce cas.

Lorene s'aperçut avec surprise qu'Oliver avait déménagé ses affaires à l'étage, opérant une prudente retraite. Il devait sans doute craindre de se laisser distraire par ses turbulents neveux. Il se retira donc, et Elisabeth s'exclama en inspectant la salle de séjour quelques instants plus tard :

– Ainsi, c'est là qu'il écrit d'habitude. Mais regardez cette poussière! Je parie qu'il vous interdit l'accès de cette pièce. Eh bien, nous allons remédier à cela immédiatement.

Elisabeth se dirigea vers une armoire dont elle ouvrit le battant d'un geste énergique. Aussitôt, elle fut submergée par une avalanche de documents qui se répandirent par terre. Lorene vint la rejoindre pour tenter de remettre un peu d'ordre. Tout en empilant les coupures de journaux et les feuilles dactylographiées, elle leur lançait un coup d'œil distrait. Tout à coup, elle se figea et devint livide : aucun doute possible, l'article qu'elle voyait était bien le tissu de mensonges qu'Oliver avait écrit à son sujet! En tremblant, elle porta la main à son front. Pourvu qu'Elisabeth n'ait pas surpris sa réaction! Hélas, son trouble n'avait pas échappé à sa compagne. Elle s'approcha et lut par-dessus l'épaule de Lorene. Interdite, elle murmura :

– Mon Dieu, Lorene... je n'avais pas idée... C'est donc vous, Oliver vous a enfin retrouvée... Oh, je me souviens de cette tragique histoire comme si c'était hier. Notre cousin venait de se suicider et mon frère se sentait coupable. La fille à l'origine du scandale qui coûta la vie de notre cousin était une ancienne petite amie d'Oliver. Et il ne cessait de se blâmer pour ce qui était arrivé en répétant que c'était sa faute... A partir de cette époque, mon frère a beaucoup changé et ma mère s'inquiétait à son sujet. Elle redoutait que quelque chose de terrible n'advienne et... elle n'avait pas tort... Lorsqu'Oliver a écrit son article sur vous, elle l'a supplié d'avoir un autre entretien avec vous. Elle était convaincue de votre innocence mais Oliver s'y est farouchement opposé. Il semblait comme possédé et nous n'aurions jamais pu le raisonner.

« Quand la vérité lui est apparue, bien plus tard, l'énormité de l'injustice qu'il avait perpétrée l'a rendu à moitié fou. Il était brisé et voulait même ne plus exercer sa profession de journaliste. Il a solennellement juré de racheter sa faute et a tenté de découvrir ce que vous étiez devenue. Je peux vous assurer qu'il a fait son possible pour vous réhabiliter mais son rédacteur a refusé de publier l'article dans lequel il reconnaissait son erreur. Nous avons eu peur pour lui : Oliver n'était plus que l'ombre de lui-même, un homme torturé par son sentiment de culpabilité...

Elisabeth, visiblement émue, marqua une pause et contempla Lorene d'un air pensif avant de reprendre :

– A présent que vous l'avez revu, lui en voulez-vous toujours? Le haïssez-vous?

Les yeux assombris par le désarroi, Lorene ne se résolut pas à répondre tout de suite tant sa gorge était nouée. Quand elle eut recouvré son sang-froid, elle murmura :

– Je comprends qu'il ait pu se tromper. Les apparences étaient contre moi et mon beau-père mentait de façon fort convaincante.

L'arrivée des jumeaux interrompit leur conversation. Tandis qu'Elisabeth donnait des instructions à ses fils pour nettoyer les étagères, Lorene réfléchissait fébrilement. Ne pourrait-elle utiliser ce que lui avait confié Elisabeth? Si elle dévoilait publiquement l'erreur commise par Oliver à son sujet, il perdrait toute crédibilité en tant que journaliste... Elle tenait enfin le moyen de se venger! Mais bizarrement, au lieu de la réjouir, cette perspective lui répugnait. Que lui arrivait-il?

Oliver et Elisabeth avaient décidé de partir pour Arles après le déjeuner. Lorene fut très surprise d'être conviée à la sortie. Elle tenta de se dérober mais Oliver fut inflexible.

– Charles et moi avons notre propre voiture, déclara Richard à l'adresse de la jeune fille. Venez avec nous.

Cette invitation ne fut pas du goût d'Oliver. D'un ton très sec, il décréta :

– Lorene m'accompagnera, Richard. C'est ma secrétaire, j'ai besoin d'elle et je ne la paye pas à s'amuser!

Cette remarque blessante et mesquine la stupéfia. Pourquoi Oliver était-il si en colère? Croyait-il que son neveu voulait flirter avec elle? C'était ridicule!

– J'espère que vous laisserez Richard en paix, articula-t-il après le départ de ce dernier. Il est encore jeune et innocent...

Avant qu'elle ait pu protester, il enchaîna :

– Si vous montez, prenez ma veste, elle est sur le lit. Merci!

Quelle audace! songea Lorene hors d'elle en montant les escaliers. Elle pénétra dans la chambre d'Oliver et s'aperçut qu'il avait travaillé. Deux feuilles gisaient, éparses, sur le tapis, et Lorene se baissa machinalement pour les mettre en ordre. Quelques mots attirèrent irrésistiblement son attention et elle ne put s'empêcher de lire. « Réactions physiques : excellentes quand spontanées; émotions ressurgissent : colère, frayeur mais reste à déterminer si elles sont causées par le passé ou non... »

S'ensuivait toute une série de notes qui ne laissaient aucun doute sur les intentions d'Oliver : il avait choisi Lorene comme cobaye et comptait en faire l'un des personnages de son prochain roman. Ses soupçons étaient justifiés : il l'utilisait de façon éhontée sous le prétexte de faire d'elle une « femme normale »!

Atterrée, elle resta un long moment immobile, écœurée par la duplicité de l'écrivain. Quel être abject! Rien d'étonnant à ce qu'il ait accepté de l'emmener avec lui en France!

– Lorene!

La voix irritée d'Oliver la sortit de l'état d'hébétude dans lequel elle était plongée. D'un geste vif, elle ramassa la veste et se hâta de sortir.

Qu'allait-elle faire? Après cette découverte qui l'avait ébranlée, elle n'avait qu'une envie : fuir très loin de cet homme odieux. Mais cela ruinerait ses projets de vengeance... Et si elle refusait de participer à ses « expériences »? En proie à un cuisant sentiment de honte, elle pensa à la manière dont elle s'était abandonnée dans ses bras, la veille. Dire qu'elle y avait trouvé réconfort et bien-être...

Lorene marqua une pause avant d'entrer dans la salle de séjour et se mordit les lèvres jusqu'au sang pour retrouver son sang-froid. Surtout, Oliver ne devait se douter de rien...

– Vous êtes restée bien longtemps là-haut, remarqua-t-il.

– Oh, je me suis recoiffée, mentit-elle en notant la façon qu'il avait de la dévisager avec intensité.

L'avait-il toujours scrutée ainsi? Plus que jamais la jeune fille eut l'impression d'être un spécimen qu'il analysait avec une précision diabolique. Eh bien, elle n'allait pas se laisser faire. La haine qu'elle lui vouait avait redoublé à présent et elle se demanda s'il ne la détectait pas dans ses yeux...

Le mistral souffla durant tout le trajet jusqu'à Arles; Lorene se sentait très irritable. Mais après tout, n'avait-elle pas de bonnes raisons de l'être? La beauté de la vieille cité parvint toutefois à la distraire de ses moroses pensées. De loin, on apercevait une mer de toits de tuiles orangées qui luisaient doucement sous les rayons du soleil. Le ciel était d'un bleu d'une pureté exceptionnelle, comme toujours lorsque le vent du nord balayait la région.

Dès qu'Oliver eut garé sa Ferrari, Lorene s'apprêta à s'enfuir. Elle ne voulait pas rester avec son bourreau tout l'après-midi! Mais son compagnon l'arrêta d'une voix coupante en lui rappelant :

– Désolé, Lorene, mais je ne vous ai pas emmenée pour que vous vous promeniez en compagnie de mon neveu et de Charles. J'ai besoin de vous pour faire les courses, il va falloir nous réapprovisionner. Et puis Elizabeth aimerait sûrement votre aide pour surveiller les enfants.

Ulcérée, Lorene riposta avec véhémence :

– Vous semblez oublier que je suis secrétaire, pas gouvernante ni nourrice! Et puis je n'ai pas eu un seul jour de vacances depuis que je suis à votre service. J'aimerais bien passer cet après-midi de la façon dont je l'entends.

– Il n'en est pas question!

Lorene recula, terrorisée par la colère qu'elle lisait dans son regard. Par bonheur, elle fut sauvée par l'interruption providentielle d'Elisabeth.

– Que se passe-t-il? s'enquit-elle, alarmée. Vous n'êtes pas en train de vous disputer au moins?

– Non, nous ne sommes pas assez... proches, pour cela, rétorqua-t-il, ironique. J'ai quelques courses à faire et je propose que nous nous retrouvions ici dans deux heures.

– Oh, et moi qui espérais visiter la ville avec Lorene, fit Elisabeth, visiblement déçue.

– Ma secrétaire n'a pas envie de subir notre compagnie, elle veut être seule, annonça Oliver en jetant un coup d'œil railleur à la jeune fille qui devint écarlate. Autant nous y résoudre...

Ils s'éloignèrent chacun de leur côté mais Lorene s'aperçut que Charles avait l'intention de la suivre. Quand elle l'interrogea, il répondit avec un haussement d'épaules :

– Je préfère être avec vous plutôt qu'avec Richard. Il est un peu trop... jeune à mon goût. Et la façon dont il vénère son oncle m'exaspère. Si vous voulez, nous pourrions aller au restaurant ce soir et danser ensuite. Nous partons demain matin seulement, nous aurions toute la nuit devant nous...

– C'est une idée, fit Lorene, mais nous verrons. Qui sait? Vous pourriez me trouver exaspérante avant la fin de l'après-midi!

– Cela m'étonnerait fort, rétorqua Charles.

Ils déambulèrent dans la ville et Lorene s'amusa beaucoup en la compagnie du jeune homme. Il possédait un sens de l'humour très particulier qui la faisait rire aux éclats. Tandis qu'il bavardaient, Lorene se rendit compte à quel point elle avait changé. Quelques semaines auparavant, la perspective d'un tête à tête avec un homme qu'elle connaissait à peine l'aurait effrayée. Plus maintenant, songea-t-elle. Mais aussi, Charles lui paraissait si inoffensif... par rapport à Oliver. Aussitôt formulée, elle repoussa cette idée avec vigueur. Quand donc cesserait-elle de penser à lui? Malgré tout, elle devait reconnaître que cette métamorphose était due à lui...

Ils furent les derniers à rejoindre les autres au lieu de rendez-vous. Lorene et son compagnon apparurent, bras dessus, bras dessous, et ils furent immédiatement apostrophés par Oliver qui leur reprochait leur retard.

– Mais de cinq minutes à peine, remarqua Elizabeth. Voyons, Oliver, inutile de réagir ainsi. Je t'avais assuré qu'il n'y aurait pas de problème...

– Madame Turner a raison, approuva Charles. Lorene se sent tellement en confiance avec moi qu'elle a accepté que nous dînions ensemble ce soir. N'est-ce pas?

La jeune fille était sur le point de refuser mais un regard à Oliver l'en dissuada. Il était livide de rage. Quel plaisir de le défier!

– Avez-vous l'intention de passer la soirée avec lui? questionna-t-il d'une voix difficilement contrôlée.

– Oui, assura-t-elle en proie à une vive exaltation.

– J'espère que vous savez ce que vous faites, reprit-il en

enchaînant à voix plus basse : prenez garde, Lorene. Vous débarrasser de votre encombrant passé est une excellente chose mais ne brûlez pas les étapes. Vous êtes encore très ignorante et je n'aimerais pas vous voir commettre une erreur...

– Charles sera là pour me guider, riposta-t-elle, suave.

– Votre beau-père disait vrai en fin de compte, marmonna-t-il entre ses dents serrées en se retenant à grand peine. Vous n'êtes qu'une garce!

Il était six heures lorsque Elizabeth et son frère regagnèrent la villa. Seule avec Charles, Lorene n'était plus du tout sûre d'avoir pris la bonne décision... En effet, l'attitude du jeune homme s'était modifiée depuis le départ des autres : il la tenait par les épaules, serrée contre lui et ignorait ses efforts pour se dégager. Comme elle venait une fois de plus de s'éloigner de lui, il remarqua d'un ton irrité :

– Je ne vous aurais jamais crue aussi prude, surtout après avoir vécu avec un homme comme Oliver Shaw.

– Vécu? Je suis la secrétaire d'Oliver, un point c'est tout, rétorqua-t-elle, indignée. Vous vous méprenez totalement, Charles.

– Oh, je ne pense pas, contra-t-il. Votre patron s'est montré très possessif tout à l'heure pendant votre petit échange. Pourquoi le serait-il s'il n'y avait rien entre vous?

– Il... s'inquiétait pour moi, précisa-t-elle avec raideur.

– Je n'en doute pas! Il est jaloux mais c'est un sentiment bien démodé. Quant à moi, je suis tout à fait en faveur du partage. Pas vous?

– Non, pas moi, déclara-t-elle d'un ton mordant. Charles, je n'ai plus envie de dîner ici. Ramenez-moi à la villa, s'il vous plaît.

– Et voir l'air triomphant d'Oliver? railla-t-il. Pas question! Il serait trop content de constater que vous m'avez éconduit! Il est déjà assez arrogant comme cela. Nous allons bien nous amuser tous les deux...

Lorene se sentait prise au piège. Oliver avait eu raison de la mettre en garde. Elle tenta une fois encore de le persuader de la raccompagner.

– Que vous arrive-t-il? s'enquit-il, les yeux luisant d'une étrange lueur. Vous craignez que je ne sois pas aussi généreux que Shaw?

Il la dévisageait de façon insolente et détaillait les courbes de son corps harmonieux. Très mal à l'aise, Lorene se dit qu'il valait mieux sans doute ne plus l'affronter pour l'instant. Peut-être qu'après le repas, Charles reviendrait à la raison...

Hélas, la situation ne tourna pas à son avantage, bien au contraire. Charles commanda une bouteille de vin qu'il but presque entièrement à lui seul, la jeune fille se méfiant des effets néfastes qu'avait l'alcool sur elle. Sa récente leçon avec Oliver restait encore fraîche à sa mémoire.

Une fois leur dessert terminé, Lorene insista pour retourner à la maison. Déçu et irrité, Charles capitula.

– Bon, d'accord, maugréa-t-il d'une voix un peu pâteuse. Cela nous donnera le temps de nous arrêter en chemin.

Ils se trouvaient sur une petite route de campagne déserte lorsqu'il mit sa menace à exécution. Lorene ne put réprimer un frisson d'appréhension quand il coupa le contact et se tourna vers elle.

– Détendez-vous, fit-il en l'enlaçant. Pourquoi avez-vous peur?

– Elizabeth va s'inquiéter. Vous n'ignorez pas qu'elle veut partir de bonne heure demain matin...

– Elizabeth? Vous voulez dire Oliver, plutôt, coupa-t-il. Mais s'il vous obsède à ce point, pourquoi avez-vous accepté de sortir avec moi? Je pensais que nous pourrions passer un agréable moment ensemble.

– Vous m'aviez seulement invitée à dîner, lui rappela-t-elle avec amertumc.

– En effet, mais nous savions tous deux ce que cela impliquait.

– Qu'il faudrait que je vous « remercie » de vos largesses? fit-elle d'un ton coupant. Désolé, Charles, vous vous êtes mépris sur mon compte. Ce n'est pas mon genre.

Sans attendre sa réponse, elle ouvrit la portière et se précipita dehors. Elle courait à perdre haleine le long du chemin inégal quand elle l'entendit jurer et démarrer. Bientôt, il la rattrapait et criait :

– Enfin, Lorene! Ne soyez pas si timorée! Le rôle de l'innocente outragée vous va mal, vous qui êtes la maîtresse de ce Shaw...

Ses intonations trahissaient sa fureur et Lorene eut soudain très peur. Ah, si seulement elle n'avait pas stupidement tenu tête à Oliver! Elle serait à présent bien en sécurité à la villa... A peine avait-elle émis cette pensée que Charles, manifestcmcnt exaspéré par son mutisme, fit vrombir le moteur de sa voiturc. Il arriva à sa hauteur et hurla avant de disparaître dans un tourbillon de poussière :

– Puisque c'est votre patron que vous voulez, c'est lui qui vous ramènera chez vous!

Hébétée, la jeune fille fixa les feux arrière qui s'évanouissaient progressivement dans la nuit. Non, ce n'était pas possible! Il n'avait tout de même pas l'intention de l'abandonner dans cet endroit perdu! Elle se mit à marcher d'un pas vif, persuadée qu'elle le découvrirait au premier tournant. Mais force lui fut de constater que le jeune homme avait dit vrai...

D'ailleurs, il avait pris la direction d'Arles et non de la villa. Sans doute voulait-il terminer la soirée avec quelqu'un de plus accommodant qu'elle... La gorge nouée, elle se sentit prête à fondre en larmes. Où était-elle? A des kilomètres de toute habitation très certainement car elle ne distinguait aucune lumière dans les environs. Soudain, la nuit lui semblait pleine d'ombres menaçantes et elle ne pouvait s'empêcher de sursauter au moindre bruit suspect. Allons, se dit-elle, il faut se ressaisir! Lentement, elle continua sa route, en se félicitant d'avoir eu l'idée de mettre des sandales à talons plats. Si seulement quelqu'un venait à passer, son calvaire prendrait fin, songeait-elle en avançant avec lassitude. Au moins, le mistral s'était tu et un calme bienfaisant régnait à cette heure tardive.

Tout à coup, Lorene perçut le vrombissement d'un moteur. Mon Dieu, pourvu que ce soit Oliver, pria-t-elle avec ferveur. Jamais elle n'aurait été si contente de le voir! Elle se tourna, le cœur gonflé d'espoir, s'attendant à découvrir la Ferrari de l'écrivain. Quelle ne fut pas sa déception de voir le véhicule s'éloigner sans s'arrêter à sa hauteur. C'était une Peugeot, pas le rutilant bolide d'Oliver...

L'intensité de son désappointement fit réfléchir la jeune fille. Il était bien naturel qu'elle éprouve du soulagement à l'idée d'être secourue par son patron car la perspective de passer la nuit dehors n'avait rien d'engageant mais tout de même, elle devait bien s'avouer que les sentiments qu'elle avait ressentis avaient été bien plus forts que cela. L'espace d'un court instant, la joie, le bonheur avaient jailli en elle, mais surtout...

Mais surtout quoi, exactement?

Ébranlée, elle se laissa pesamment tomber à terre dans l'herbe odorante parsemée de fleurs sauvages. Si elle analysait honnêtement ses réactions, à quelle conclusion arrivait-elle? En entendant la voiture, Lorene avait désespérément voulu voir Oliver venir à son secours. Elle se l'était représenté en train d'avancer vers elle pour la serrer tout contre lui...

Cette stupéfiante découverte plongea la jeune fille dans un état troublant. Subitement, elle avait l'impression de voguer en pleine irréalité. Tout son monde s'écroulait : elle était venue chez Oliver dans le seul but de se venger, de lui faire vivre le même enfer qu'il lui avait fait endurer et au lieu de cela...

Au lieu de cela, c'était elle, Lorene, qui risquait de souffrir cruellement : elle connaîtrait les affres d'un amour qui ne lui serait pas retourné...

Elle aimait Oliver! Le reconnaître lui apporta une certaine paix. A présent, certaines de ses réactions qu'elle avait jugées incohérentes s'expliquaient mieux. Son étrange répugnance à exposer publiquement cet homme qui l'avait si injustement attaquée...

Son amour pour lui signifiait la fin de ses projets de vengeance. Comment pourrait-elle détruire Oliver? D'ailleurs, depuis qu'elle l'avait revu, la plus grande confusion avait régné dans son esprit; dans son ignorance, elle avait cru le haïr, peut-être pour mieux masquer son désir... Quand cela avait-il commencé? Sans doute lors de leur toute première rencontre; ses sentiments avaient lentement mûri pour s'épanouir dès qu'Oliver avait réapparu dans sa vie...

Mais surtout, il était capital que l'écrivain ne se doute de rien. Comme il se délecterait si son secret venait à être dévoilé! Il ne lui restait qu'une solution pour s'épargner cette insoutenable humiliation : fuir sans tarder. Jamais elle ne laisserait Oliver se servir d'elle à nouveau. Jamais! Comment avait-elle pu imaginer qu'en punissant Oliver, elle s'affranchirait de son encombrant passé et exorciserait ses blessures? Quel raisonnement simpliste!

Non, il fallait vraiment qu'elle agisse, et vite. Partir témoignait d'une certaine lâcheté mais elle n'avait guère le choix. Plus elle s'attardait auprès du journaliste, plus elle avait de chances de se trahir...

Comme un automate, elle continua à avancer tout en s'efforçant de calmer le tumulte de ses pensées. De temps à autre, elle consultait sa montre. Le paysage peuplé d'ombres fantomatiques était d'une sauvagerie inquiétante en cette nuit étoilée; il n'y avait pas la moindre trace d'habitation aux alentours. La villa était-elle encore loin? se demanda-t-elle avec abattement. Charles avait-il rejoint les autres? Quelle explication leur avait-il donnée au sujet de son absence? Oh, et pourquoi personne n'était venu à sa recherche? Les questions se pressaient dans sa tête et Lorene eut l'impression que son cerveau allait éclater. Épuisée, elle se laissa tomber sur le bord de la route et posa son front sur ses genoux croisés. Elle était si lasse; il lui semblait flotter dans un état second. Pourquoi Oliver tardait-il tant?

8

Lorene se réveilla en sursaut, horrifiée de découvrir qu'elle avait dormi sur le bord de la route. Ses membres étaient courbatus et elle se ressentait durement de la longue marche forcée. Machinalement, elle tenta de mettre de l'ordre dans sa chevelure ébouriffée et grimaça en constatant à quel point ses cheveux étaient emmêlés. L'aube blanchissait le ciel et elle frissonna dans l'air froid du petit matin.

Pourquoi personne n'était venu à son secours? se répéta-t-elle. Charles avait dû rentrer d'Arles depuis longtemps. Dans un suprême effort de volonté, elle se força à se mettre debout. Il faisait trop froid pour rester sans bouger. Elle reprit sa progression et s'aperçut quelque temps après qu'elle était bien plus près de la villa qu'elle ne le croyait. Tout en avançant, elle analysa ses sentiments à l'égard d'Oliver. D'où lui venait la certitude de l'aimer? Il était délicat de trouver une explication mais une chose était sûre : Oliver était le seul homme qui ne provoquait pas en elle cette sensation de peur et d'angoisse mêlées qu'elle éprouvait avec les autres. Avec Bill Trenchard par exemple, elle éprouvait une révulsion insurmontable dès qu'il la touchait ou l'approchait, mais ce n'était pas le cas avec l'écrivain. Bien au contraire... Elle rougit en se rappelant la façon dont elle s'était abandonnée sous ses caresses. Elle avait follement désiré qu'il la prenne dans ses bras et l'embrasse passionnément. Rachel lui avait dit autrefois que ce changement s'opérait en elle mais Lorene n'y avait pas cru. Et pourtant, c'était bien ce qui lui était arrivé en fin de compte. Mais il avait fallu que ce soit Oliver qui l'éveille de ce long sommeil... Hélas, il n'avait rien du Prince Charmant. Sa sœur avait beau prétendre qu'il était le meilleur des hommes et vanter ses qualités, Lorene doutait en fait de son objectivité. Elle reconnaissait cependant qu'il était dénué de toute cruauté et capable de faire preuve de compassion. Mais le traitement qu'il lui avait infligé avait détruit à jamais sa confiance et fait naître en elle la peur de se voir trahie une nouvelle fois. Non vraiment, si elle était douée de bon sens, elle partirait très loin de cet homme dangereux. Mais bizarrement, sa raison semblait l'avoir temporairement abandonnée et elle ressentait au contraire un désir insensé de rester. L'esprit enfiévré, elle se surprit à songer à l'ivresse qu'elle pourrait éprouver dans les bras de l'écrivain. Soudain, elle voulait lui appartenir corps et âme; elle sentait confusément que cela serait pour elle une expérience inoubliable. Dans un frisson, elle imagina le contact de leurs deux corps voluptueusement enlacés, la promesse contenue dans une seule caresse... Oui, elle savait qu'elle connaîtrait l'extase avec cet homme, il avait le pouvoir de faire s'embraser ses sens au moindre frôlement...

Perdue dans ses troublantes pensées, Lorene mit un moment avant de percevoir le ronronnement d'un moteur. Une voiture arrivait à vive allure sur la petite route et elle se retourna. Quand elle reconnut la Ferrari d'Oliver, un sourire éblouissant éclaira ses traits. Il la dépassa puis s'arrêta dans un nuage de poussière qui fit éternuer la jeune fille. Pressant le pas, elle se hâta de le rejoindre, tout à sa joie de le retrouver.

– Bon sang, Lorene! tempêta-t-il. Mais où diable

étiez-vous? Je vous ai cherchée toute la nuit, j'ai parcouru Arles et fouillé tous les bars un peu louches de fond en comble car je craignais que Charles ne vous ait entraînée de force dans un lieu peu recommandable! La moindre des politesses aurait été de me prévenir que vous comptiez passer la nuit dehors. Lorsque Charles à téléphoné pour annoncer à ma sœur qu'il la rejoindrait en Espagne, vous auriez au moins pu me laisser un message au lieu de me plonger dans l'incertitude... En tout cas, si j'en juge par votre apparence, vous avez l'air d'avoir eu une nuit remplie, ajouta-t-il d'un ton mordant.

– Charles vous a appelé d'Arles, mais...

– Oui, à deux heures du matin, coupa Charles avec rudesse. Ah, vraiment! Vous m'avez rendu fou d'inquiétude.

– Vous vous inquiétiez... à mon sujet? balbutia faiblement Lorene.

– Oh, je vous en prie, ne faites pas l'idiote! s'exclama-t-il d'un ton exaspéré. J'ai bien conscience que vous n'êtes plus une enfant mais je sais que vous manquez totalement d'expérience en ce qui concerne les hommes. Ce qui explique sans doute votre manque de goût. Vous auriez pu choisir quelqu'un de mieux que ce Charles!

– Je vous assure que je n'étais pas avec lui, intervint Lorene pour se justifier. Nous nous sommes disputés et...

– Et vous espérez que je vais vous croire? Il est inutile de me mentir, Lorene. Si vous voulez avoir une aventure avec Charles, cela vous regarde, mais ayez la bonté de me prévenir dans ce cas.

Oliver fulminait. Elle ne l'avait jamais vu dans un tel état de rage. Rien d'étonnant s'il avait passé une nuit blanche à la chercher. Elle ne s'était pas attendue à ce qu'il déploie autant d'efforts, d'ailleurs.

– Montez, ordonna-t-il d'un ton péremptoire.

Il attendit qu'elle se soit installée pour claquer violemment sa portière et prendre place au volant. Il démarra dans un crissement de pneus et freina tout aussi brutalement une dizaine de mètres plus loin. Pétrifiée, Lorene redoutait une nouvelle explosion de colère mais il se pencha seulement vers elle d'un air menaçant. L'espace d'un instant, il lui rappela Charles et elle se tassa craintivement sur son siège.

– Ne vous inquiétez pas Lorene, railla-t-il, vous n'avez rien à craindre. J'aime assez peu faire l'amour dans les voitures. Je voulais seulement mettre votre ceinture de sécurité.

Il joignit le geste à la parole et frôla furtivement sa poitrine. Ce bref contact fit battre le cœur de la jeune fille plus vite. A l'inverse de l'écrivain, elle aurait adoré faire l'amour dans la Ferrari... Quand elle s'aperçut du tour que prenaient ses pensées, elle devint écarlate. Mon Dieu! Que lui arrivait-il?

– Je suis tellement en colère que cela risque d'influer sur ma conduite, enchaîna-t-il d'un ton mordant. Et je ne voudrais pas avoir votre mort sur la conscience en plus de...

Il s'interrompit brusquement puis repris :

– C'est idiot, n'est-ce pas? Mais voyez-vous, j'avais une excellente raison pour espérer que votre métamorphose serait progressive... Bah, il est trop tard pour regretter. Pour l'instant, vous êtes de retour et un travail fou nous attend... si vous avez assez d'énergie pour vous y remettre!

Oliver n'avait pas menti : une pile impressionnante de notes urgentes à dactylographier attendait Lorene sur son bureau. Elle s'y mit sans tarder et peu avant midi, elle souffrait d'une atroce migraine. L'écrivain, insensible à sa fatigue, revenait sans cesse avec de nouveaux textes à modifier. Il avait remanié les premiers chapitres de son livre et le personnage principal du roman apparaissait désormais avec plus de netteté. La même question hantait toujours la jeune fille : Oliver comptait-il se servir de son personnage? Si oui, comment? Il relisait les pages dès qu'elle les avait terminées en arpentant la pièce à grandes enjambées. Il se dégageait de toute sa personne une énergie et une nervosité qui mettaient Lorene mal à l'aise.

– Ce sera tout pour aujourd'hui, décréta-t-il d'un ton bref tandis qu'ils déjeunaient. Je vous suggère d'aller au lit pour vous remettre de vos émotions de votre folle nuit.

Son intonation sarcastique irrita la jeune fille qui décida aussitôt d'ignorer son conseil charitable. Au lieu de cela, elle monta dans sa chambre pour se changer. En enfilant son maillot, elle nota avec plaisir la couleur dorée de sa peau et la petitesse du bikini ne la gênait presque plus. Elle s'y était somme toute bien habituée. Ses affaires rassemblées, elle se dirigea vers la piscine... pour découvrir, mais trop tard, que l'écrivain l'avait précédée. Il nageait dans le bassin, fendant l'eau dans un crawl impeccable. Dès qu'il l'aperçut, il traversa la largeur et se hissa hors de l'eau dans un geste très souple.

Fascinée par la vision de ce torse ruisselant de mille gouttelettes luisantes, Lorene déclara d'une voix fort peu naturelle :

– J'ignorais que vous étiez là.

– Dites plutôt que vous êtes déçue de me trouver ici, rectifia-t-il avec ironie. Ne vous inquiétez pas, je vous laisserai à vos rêveries romantiques sur votre chevalier servant, le séduisant Charles...

Il se pencha pour prendre sa serviette et la perfection de son corps d'athlète plongea la jeune fille dans un émoi violent. A quoi servirait de renier ses accusations? De toute façon, il ne la croirait pas, se dit-elle, accablée. Les yeux embués de larmes, elle se détourna et buta contre une chaise longue. Avant qu'elle ait basculé, Oliver l'avait déjà rattrapée et serrée contre lui pour la retenir. La proximité de cet homme qu'elle aimait si passionnément acheva de lui faire perdre le contrôle d'elle-même. En étouffant un sanglot, elle se laissa aller contre lui mais il interpréta mal sa réaction.

– Calmez-vous, je ne vous toucherai pas, marmonna-t-il.

« Je le sais », avait-elle envie de crier. « Mais j'aimerais tant que vous me preniez dans vos bras! »

Quand il la relâcha, elle s'allongea sur sa serviette et s'efforça de se calmer peu à peu. Lorene faisait semblant d'être assoupie mais en réalité, elle épiait Oliver à la dérobée tandis qu'il appliquait de la crème sur son torse. Elle brûlait du désir de le toucher, de le caresser; jamais elle n'aurait imaginé qu'elle ressentirait un besoin si ardent d'être proche d'une personne, de la connaître totalement...

– En voulez-vous, Lorene?

La jeune fille ouvrit les yeux, le fixa d'un air hébété et il répéta patiemment :

– Vous ne voulez pas de lotion? Le soleil est traître pourtant.

– J'en ai déjà mis, merci, murmura-t-elle.

– Pourriez-vous m'en passer sur le dos, dans ce cas?

Sans attendre sa réponse, il lui tendit le flacon et roula sur le côté. Affolée, Lorene chercha fébrilement une excuse pour refuser mais n'en trouva aucune. Et puis, Oliver verrait clair dans son jeu et ne manquerait pas de lui poser des questions embarrassantes. Avec résignation elle dévissa le bouchon et versa un peu de produit dans le creux de sa main. Elle s'agenouilla près de l'écrivain et entreprit de répandre le lait sur sa peau tiédie par les chauds rayons. Ses gestes tout d'abord hésitants et maladroits devinrent plus assurés : sa timidité première disparut et elle partit à la découverte de ce corps si viril qui la fascinait en dessinant des arabesques légères commes le frôlement d'un papillon.

Absorbée dans sa tâche, elle ne remarqua pas le subit raidissement d'Oliver. Ce fut seulement quand elle effleura sa taille que sa tension se communiqua en elle. Étonnée, elle s'enquit d'une voix hésitante :

– Quelque chose ne va pas?

Oliver se retourna d'un bloc et la fixa d'un air empreint de dérision qui la glaça.

– Pour l'amour du ciel, Lorene! Épargnez-moi ces petits jeux-là! Charles apprécie peut-être d'être provoqué et tourmenté mais pas moi! Je constate en tout cas que vous apprenez vite. Elle est bien loin la jeune fille effarouchée et innoncente!

Avant qu'elle n'ait pu rétorquer, il s'était levé d'un bond et approché de la margelle de la piscine. Quelques secondes après, il prenait son élan pour exécuter un superbe plongeon et fendait l'eau à grands mouvements rageurs. La jeune fille le regardait évoluer en proie à un profond désarroi. Qu'avait-elle fait ou dit pour provoquer sa colère? Il y avait des moments où Oliver lui apparaissait comme une énigme...

Elle préparait le dîner lorsqu'il fit son apparition dans la cuisine et déclara qu'il s'absentait.

– Je pars à Arles, annonça-t-il. Ne m'attendez pas car je n'ai aucune idée de l'heure à laquelle je rentrerai, ajouta-t-il d'un ton sardonique.

Seule dans la grande villa, Lorene tenta de se persuader que son amour pour Oliver n'allait pas durer, qu'il n'était pas viable. Comment ce sentiment pourrait-il s'épanouir s'il n'était pas réciproque? Désabusée, elle relut les notes de son journal intime et eut honte de sa naïveté : elle qui croyait être motivée par une idée de vengeance... Elle avait muri et affronté la vérité depuis, mais à quel prix! D'un geste las, elle prit le dossier contenant les articles de l'écrivain et les parcourut avec attention. A travers ces lignes, elle découvrait un nouveau personnage qu'elle avait refusé de voir jusqu'à aujourd'hui : celui d'un homme capable de compassion et d'amour pour son prochain. Si seulement elle pouvait lui inspirer ce sentiment, se dit-elle avec mélancolie. Mais leur relation avait très mal commencé depuis le début et il y avait peu d'espoir pour que cela s'améliore. Oliver semblait plein de préjugés à son égard, chose bien étrange pour un homme aussi perspicace que lui; il semblait à la jeune fille qu'il n'était pas objectif et ne changerait pas...

Lorene terminait de se sécher les cheveux lorsqu'elle entendit la Ferrari. Il était onze heures à peine, nota-t-elle en consultant son réveil. Elle se dirigea vers sa fenêtre et jeta un coup d'œil au-dehors car sa chambre donnait sur le perron. Oliver se tenait devant la porte et fouillait ses poches, à la recherche sans doute de ses clés.

Comme s'il avait deviné sa présence, il releva la tête et l'aperçut juste au moment où elle reculait précipitamment dans l'ombre.

– Venez m'ouvrir, Lorene. J'ai perdu ma clé.

La jeune fille s'était déshabillée pour faire son shampooing et elle revêtit la première chose qu'elle trouva : une chemise de nuit rayée blanc et rose qu'il lui avait offerte. Elle la boutonna à la hâte et descendit l'escalier.

Quand elle poussa le battant, Lorene remarqua immédiatement qu'Oliver n'était pas dans son état normal. Il avait bu, elle l'aurait juré.

– Rassurez-vous, je ne suis pas ivre, fit-il aussitôt en percevant son expression de dégoût et de peur. J'ai seulement voulu noyer mon chagrin sans y parvenir vraiment d'ailleurs...

– Du chagrin, *vous?* rétorqua-t-elle, sarcastique. J'aurais volontiers pensé que ce sentiment vous était inconnu!

– Pourquoi? Suis-je toujours pour vous un monstre inhumain? s'enquit-il d'un ton où perçait de l'amertume.

Lorene le regarda d'un air incertain. L'humeur de l'écrivain la mettait mal à l'aise.

– Désirez-vous manger quelque chose? questionna-t-elle pour tenter de le distraire.

– Non. Je suis torturé par une faim que vous ne pourriez rassasier, Lorene... Bon sang, ne me dévisagez pas avec ces yeux de biche effrayée! Nous savons tous les deux que ce n'est plus de mise; ce n'est plus la peine de jouer l'innocente, n'est-ce pas? Et montez dans votre chambre avant que je n'aie une parole malheureuse!

Lorene demeura un moment indécise, partagée entre le désir de rester et celui de s'enfuir. Finalement, après un dernier coup d'œil à l'expression menaçante d'Oliver, elle se dirigea en courant vers l'escalier. Pourquoi avait-il éprouvé le désir de boire? Peut-être pour calmer la tension nerveuse qui le tenaillait dès qu'il écrivait un nouveau livre? Lorene ignorait la raison qui l'avait poussé à agir ainsi mais elle percevait confusément la violence contenue qui ne demandait qu'à être déchaînée. Elle n'avait aucune envie de jeter l'étincelle qui mettrait le feu aux poudres!

Juste au moment où elle se glissait dans son lit, Oliver monta à l'étage et pénétra dans la salle de bains. Il y eut un bruit de tiroirs qu'on ouvrait et refermait puis la voix de l'écrivain résonna dans le silence :

– Lorene, auriez-vous de l'aspirine, par hasard?

Irritée, elle exhala un soupir, se leva pour aller chercher son sac. Elle trouva un tube et répondit :

– Attendez une petite minute, je vous en apporte.

Elle parvint à tâtons à la porte de sa chambre et l'ouvrit. La silhouette d'Oliver se découpait nettement dans la lumière et elle s'aperçut qu'il avait ôté son jean et sa chemise. Incapable de détacher son regard de ce corps sculptural, Lorene lui tendit les cachets comme un automate. Leurs doigts se frôlèrent et Oliver laissa échapper un juron qui choqua la jeune fille par sa véhémence.

– Enfin, Lorene! s'écria-t-il d'une voix altérée, si vous vouliez acquérir de l'expérience, pourquoi ne vous êtes-vous pas adressée à moi?

La seconde d'après, il l'enlaçait et s'emparait de sa bouche avec fougue. Trop stupéfaite pour réagir, elle n'eut pas la présence d'esprit de se débattre. Son baiser avait l'effet sur elle d'une puissante drogue qui annihilait sa volonté. Et puis, n'avait-elle rêvé secrètement de cet instant? D'une main impatiente, il déboutonna le haut de sa chemise de nuit et dénuda ses épaules. Lorene avait l'impression de perdre tout contrôle et de sombrer dans un océan de plaisir. Elle avait cru éprouver du désir entre ses bras mais ce qu'elle ressentait à cet instant dépassait tout ce qu'elle avait pu connaître. Comme un frêle esquif sous la tempête, la jeune fille vibrait sous la violence des émotions qui l'assaillaient. Les fiévreuses caresses d'Oliver lui faisaient découvrir un monde dont elle avait farouchement nié l'existence jusque-là. Éperdue, elle s'agrippa à lui en murmurant son nom. Le jeune homme la repoussa doucement et chuchota d'une voix haletante :

– Vous me rendez fou, Lorene, c'est pour cela que je suis parti cet après-midi... Je vous désire tant... Il fallait que vous soyez à moi ce soir...

Puis, il la serra contre lui avec fougue et la souleva pour l'emporter dans sa chambre. Avant de la déposer sur son lit, il ôta d'un geste brusque sa chemise de nuit, elle exhala un soupir de contentement au contact de son torse contre

sa peau brûlante. Oliver se redressa légèrement sur un coude et la contempla avec avidité; la jeune fille n'avait pas conscience de la beauté de son corps nimbé par les rayons nacrés de la lune : elle aussi regardait son compagnon, ses yeux trahissant tout son amour.

– Laissez-moi vous montrer à quel point je vous désire, souffla-t-il d'une voix altérée tandis qu'elle lui tendait les bras pour l'attirer vers elle.

De ses lèvres, il effleura la veine qui battait follement à la base de son cou puis descendit plus bas pour poursuivre une lente exploration si voluptueuse, si sensuelle que Lorene faillit en perdre la raison. Des vagues de plaisir successives la submergèrent et elle poussa un cri inarticulé, vaincue par la violence de son désir pour cet homme. Haletante, elle vit qu'Oliver la désirait lui aussi. Avec des gestes mal assurés, il finit de se déshabiller et revint la prendre dans ses bras. Alors, elle traça timidement les contours de son corps, puis s'enhardit peu à peu. Le gémissement étouffé qui échappa à Oliver lorsqu'elle caressa le bas de son dos la remplit de fierté. Émerveillée, elle se rendait compte du pouvoir qu'elle possédait sur lui...

Ce ne fut que lorsque son genou s'immisça entre ses jambes et qu'il s'allongea sur elle que Lorene fut tout à coup balayée par un vent de panique. Un voile noir s'abattit sur elle et l'espace d'un instant, elle se sentit transportée dans le passé; le visage tant détesté de Bill Trenchard se superposa à celui d'Oliver et elle hurla, en proie à une terreur sans nom. Ce fut comme si le fait de crier avait eu un effet libérateur sur elle : lentement elle reprit pied avec la réalité et s'aperçut que c'était bien Oliver qui la regardait avec anxiété et non son beau-père. Soulagée, elle murmura son nom et il la berça et la consola comme une enfant qui s'éveille d'un cauchemar.

Quand elle se fut un peu calmée, il s'enquit d'un ton rauque :

– Vous m'avez pris pour Bill, n'est-ce pas? Mais pourquoi me torturez-vous ainsi, Lorene? Je parie qu'avec Charles, vous...

– Encore une fois, vous vous faites des idées, coupa-t-elle. Nous nous sommes disputés sur le chemin du retour et il m'a tout simplement laissée. Je... nous n'avons pas fait l'amour!

Abattue, elle éclata en sanglots. Oliver ne la croirait jamais, comment pourrait-elle le convaincre?

– Je ne lui aurais pas permis de s'approcher, balbutia-t-elle. J'étais loin de me douter...

– Je le sais bien, fit-il d'une voix empreinte de lassitude. C'est pourquoi j'ai passé toute une nuit à vous chercher... et pourquoi aussi vous devriez être dans votre lit et non dans le mien. Un jour, Lorene, ajouta-t-il d'un ton solennel, vous rencontrerez un homme qui vous fera oublier Bill Trenchard.

Lorene mourait d'envie de lui avouer qu'elle l'avait déjà trouvé mais à quoi bon? Oliver n'avait pas besoin de son amour.

– Que diriez-vous si je vous demandais de rester avec moi? s'enquit-il dans un murmure.

La gorge sèche, elle le fixa. S'il lui posait la question, serait-elle capable de refuser. Au fond d'elle-même, elle savait bien que non.

– Eh bien, je... commença-t-elle.

– C'est bon, jeta-t-il, ironique, rassurez-vous, je n'en ferai rien. Mais vous ne pouvez nier que vous avez ressenti du désir entre mes bras. Vous avez franchi une importante étape, Lorene... c'est un excellent début.

Ces mots eurent l'effet d'une gifle sur la jeune fille. Envoûtée par les moments magiques qu'il lui avait fait vivre, elle ne s'était plus rappelée qu'elle était pour lui un

cobaye, un objet de laboratoire dont on analyse froidement les réactions.

– Je crois que je vais aller me coucher, déclara-t-elle d'une voix sans timbre. Je...

– Vous avez complètement perdu la tête l'espace d'un instant, enchaîna-t-il, sarcastique. A présent, vous comprendrez mieux pourquoi je m'inquiétais lorsque vous êtes partie avec Charles. Il vous désirait, c'était évident.

Tandis qu'elle s'éloignait, elle crut apercevoir dans ses prunelles une fugace lueur de tristesse et manqua céder à l'envie de se jeter dans ses bras et de le supplier de l'aimer. Mais agir ainsi eût été dévoiler ses sentiments et s'exposer à une cuisante humiliation. Et cela, son orgueil le lui interdisait.

– Pour l'amour du ciel, Lorene, ne restez pas plantée là à me regarder! gronda-t-il, excédé. J'ai besoin de sommeil, moi!

En deux enjambées, il se rapprocha d'elle et boutonna sa chemise de nuit comme si elle n'était qu'une fillette de douze ans. Stupéfaite, elle se laissa faire sans protester et lorsqu'il s'empara de ses lèvres, elle lui rendit son baiser avec une ferveur égale.

Dans une sorte d'état second, Lorene retourna dans sa chambre et s'effondra sur son lit. Dormir! Elle était sûre de ne pouvoir fermer l'œil de la nuit. Fébrilement, elle s'agita entre ses draps, poursuivie par des images qu'elle ne parvenait pas à chasser : le corps d'Oliver contre le sien, le désir qu'elle avait lu dans ses yeux, le contact de ses mains sur sa peau... La torture était pire lorsqu'elle baissait les paupières : alors, toutes les sensations qu'elle avait éprouvées revenaient la hanter avec une acuité renouvelée...

9

Quand Lorene descendit dans la cuisine, le lendemain matin, il n'y avait pas trace d'Oliver. Il fit son apparition quelques instants plus tard, les cheveux mouillés, une serviette autour du cou et sa chemise déboutonnée. Gênée, elle détourna la tête et fit semblant de surveiller le café qui coulait dans la cafetière électrique. Tandis qu'elle fixait le liquide noir et fumant, elle revoyait en pensée les événements de la nuit précédente.

Son embarras amena un sourire narquois sur les lèvres de l'écrivain. Avec nonchalance, il tira une chaise, s'assit, et commença à se servir le plus naturellement du monde. Son attitude l'exaspéra. Comment pouvait-il être aussi désinvolte quand elle... Mais bien entendu, l'épisode de la veille ne représentait rien pour un homme aussi expérimenté que lui. Au bord des larmes, elle se mordit les lèvres et s'affaira pour qu'il ne remarque pas son trouble.

Mais c'était sous-estimer la perspicacité d'Oliver. Brusquement, il repoussa son siège et s'approcha d'elle. Il l'obligea à lui faire face et déclara avec sérieux :

– Lorene, vous ne devez pas avoir honte de ce qui s'est passé hier entre nous. Je sais ce que vous devez ressentir, du moins je m'en doute, surtout après les accusations dont je vous ai accablée au sujet de Charles. Mais je me trompais, n'est-ce pas?

– Oui, tout à fait, acquiesça-t-elle. J'étais épuisée par ma marche forcée, non parce que...

– ... vous aviez passé la nuit dans les bras de Charles, termina-t-il avec douceur. Mais une chose demeure obscure dans ce cas : pourquoi a-t-il voulu me faire croire le contraire? Quand je pense à ce qui aurait pu vous arriver...

Ses traits se durcirent et Lorene fut effrayée de voir la fureur contenue dans son regard.

– Il était très en colère quand...

– Quand vous l'avez repoussé? coupa-t-il. Je m'en doute! Mais sa conduite est inexcusable, trancha-t-il. Il a de la chance d'être loin, sinon...

Oliver s'interrompit en voyant la moue ironique de Lorene. Il esquissa une grimace coupable et convint :

– Bon d'accord, après la façon dont j'ai agi hier, je n'ai peut-être pas le droit de le critiquer mais... A propos d'hier, Lorene, je voulais vous dire que...

Il la relâcha et se mit à arpenter la pièce, les mains dans les poches de son jean.

– Je voulais vous expliquer...

– Non, ce n'est pas la peine, intervint-elle avec précipitation. Je comprends. Ces choses-là arrivent. Étant donné les circonstances, c'était même inévitable.

– Je suis ravi de constater que vous prenez la situation avec philosophie, jeta-t-il avec une froideur qui la déconcerta.

Pourquoi cette colère? Ah, si seulement il cessait de la torturer! Mais elle n'aurait jamais le courage de le lui demander. Pourtant, comme il était humiliant et dégradant de savoir qu'elle était son cobaye! Aussi, elle avait eu la faiblesse de s'éprendre de son bourreau et la folie d'espérer qu'il lui rende son amour...

– Au fait, j'ai oublié de vous prévenir, lança soudain Oliver d'un ton abrupt. Je dois me rendre à Nice demain et pour toute la journée... seul.

– Je suppose que vous me laisserez du travail, fit Lorene en s'efforçant de paraître naturelle.

Dans sa tête, mille questions se formaient. Pourquoi allait-il à Nice? Pour voir une femme?

– Non, je ne pense pas, répondit-il. Je ne suis pas très avancé et il me faut transcrire mes idées sur papier. Vous me troublez décidément beaucoup. Si j'utilisais un vulgaire magnétophone au lieu de vous dicter directement, j'irais beaucoup plus vite.

Lorene se contraignit à sourire, voulant prendre sa remarque sur le ton de la plaisanterie mais sa sécheresse l'avait blessée.

Oliver resta silencieux un moment avant de questionner avec une soudaine gravité :

– A propos de la nuit dernière, dites-moi... Est-ce mon imagination qui délire ou bien avez-vous réellement éprouvé du plaisir?

Lorene devint écarlate. Comment pouvait-il discuter de choses aussi intimes avec autant de détachement? Voyant l'air égaré de la jeune fille, il se reprit :

– Ce que j'entendais par là est très simple : avez-vous simulé ou...

Pendant qu'il parlait, elle avait du mal à se concentrer sur ce qu'il lui expliquait. La plus grande confusion régnait dans son esprit. Devait-elle mentir et dire qu'elle avait simulé? Mais s'il s'apercevait du mensonge, en devinerait-il la raison?

– Je ne faisais pas semblant, déclara-t-elle enfin.

– Mais vous ressentiez du désir seulement, compléta-t-il aussitôt. Ne vous inquiétez pas, Lorene, je sais que le plaisir physique peut nous être révélé avec une intensité fulgurante. Je suis content que vous en ayez fait l'expérience; cela soulage grandement ma conscience même si le prix à payer pour ma faute est bien lourd, murmura-t-il de façon énigmatique.

« Vous ne devez en aucun cas avoir honte de votre sexualité et de votre sensibilité. C'est un don, Lorene, un don précieux et il ne faut pas le gaspiller. C'est ce qu'une femme peut offrir de mieux à son amant lorsque le désir est renforcé par l'amour... »

Il marqua une pause et ajouta :

– A notre époque, ce don perd souvent toute sa signification, il se galvaude et au risque de passer pour un rétrogade, je vous conseille de ne pas en abuser. Une expérience malheureuse peut laisser de profondes séquelles.

– Inutile de me mettre en garde, riposta-t-elle d'un ton mielleux. J'ai appris cela très jeune si vous en vous souvenez...

Lorene s'aperçut avec un choc que le coup avait porté; Oliver était devenu livide. Une tension insupportable s'installa entre eux et la jeune fille, incapable d'endurer une minute de plus ce supplice, s'enfuit.

Dans la solitude de sa chambre, elle maudissait l'écrivain. Pourquoi la traitait-il comme une enfant attardée? Quand la considérerait-il enfin en tant que femme?

Le malaise qui régnait entre eux alla en s'aggravant tout au long de la journée. Oliver se montrait tour à tour sombre et sarcastique. Rien de ce que faisait Lorene ne trouvait grâce à ses yeux et il l'accablait de critiques aussi mordantes qu'injustifiées. La jeune fille, excédée, était au bord des larmes.

Lorsqu'ils se mirent à table, ce soir-là, elle n'avait pas faim et se força à manger un peu des lasagnes préparées par Oliver. Malgré les coups d'œil courroucés qu'il lui lança, elle ne put terminer son assiette.

Après le repas, elle le regarda se verser une généreuse rasade de whisky, suivie d'une autre et songea avec un serrement de cœur à Bill Trenchard. Sa désapprobation ne lui échappa pas car il jeta d'un ton exaspéré :

– Pour l'amour du ciel, cessez de me fixer ainsi! Il m'en faudrait bien plus pour être ivre.

Il posa son verre et alla mettre un disque de jazz dont la musique syncopée et les notes discordantes firent grincer les dents de Lorene.

– Cette musique est en parfait accord avec l'atmosphère, vous ne trouvez pas? Bien sûr, si vous n'aimez pas, vous n'êtes pas obligée de rester...

– Je crois que je vais aller me coucher, annonça-t-elle. Je suis fatiguée.

Quand elle releva la tête, s'attendant à une remarque sardonique, Oliver faisait tourner son verre entre ses doigts d'un air maussade.

Lorene emporta le livre qui se trouvait sur une chaise sans même prêter attention au titre. Elle espérait qu'il l'aiderait à trouver le sommeil qui serait sans doute long à venir ce soir-là.

Ce fut seulement quand elle se mit au lit après sa douche qu'elle remarqua que le volume faisait partie de ceux achetés par Oliver à Arles. Il traitait de psychanalyse; intriguée, elle le feuilleta et, tandis qu'elle parcourait les lignes, son expression changea. L'auteur exposait des cas très semblables au sien, en expliquait les causes et suggérait un traitement à appliquer au patient. Malgré le langage spécialisé qui rendait quelquefois ces démonstrations obscures, Lorene lut jusqu'au bout le traité. Ignorant le flot de souvenirs qu'il provoquait en elle, elle continua bravement la lecture...

Pourquoi Oliver avait-il fait l'acquisition de ce livre? se demanda-t-elle par la suite. Manifestement, il cherchait à découvrir ce qui se cachait dans le cerveau de son cobaye, les mécanismes qui commandaient ses réactions. Une preuve de plus qu'il comptait l'utiliser pour son prochain livre...

Lorsqu'elle referma enfin l'ouvrage avec un bruit mat,

Lorene eut l'impression qu'elle émergeait d'un long tunnel pour apercevoir enfin la lumière. Une certitude se fit jour en elle : son amour pour Oliver était indépendant des circonstances, indestructible; c'était l'amour d'une femme mûre pour un homme.

Épuisée, elle s'endormit, mais le passé qu'elle avait imprudemment fait ressurgir vint l'accabler; les cauchemars se succédèrent : la scène du tribunal au moment du verdict... le moment où Bill Trenchard l'avait surprise dans la salle de bains et où il avait cherché à l'embrasser. Son visage approchait du sien, comme amplifié et elle se mit à hurler en se débattant frénétiquement. Ce fut le fracas de la porte qui s'ouvrait qui la réveilla de sa transe. Oliver se précipita à ses côtés et repoussa les mèches folles qui barraient son front. Tendrement, il la berça et murmura d'une voix empreinte d'inquiétude :

– Oh, Lorene! Un instant j'ai cru qu'on tentait de vous assassiner.

Incapable de répondre, elle frissonna, encore sous l'emprise de son rêve, les yeux immenses, la figure livide. Machinalement, il ramassa le livre qui gisait par terre et posa sur elle un regard interrogateur.

– Je l'ai lu... avoua-t-elle. Et... et les souvenirs sont revenus... Bill... quand il...

– Quand il a tenté de vous violer? Je le sais, j'étais au tribunal. Mais tout cela est fini, vous avez fait un cauchemar... très désagréable à en juger par vos cris.

Elle se jeta dans ses bras et s'écria en sanglotant :

– Oh, Oliver! C'était tellement horrible, tellement vrai!

Avec un soupir, elle se blottit tout contre lui et exhala un long soupir. Peu à peu les minutes s'écoulèrent et elle s'apaisa; une douce torpeur l'envahissait; elle était si bien. Elle se serra encore plus près et le sentit alors se raidir.

– Allez-vous mieux à présent? s'enquit-il d'une voix curieusement tendue. Je vais vous laisser dormir.

– Non, je vous en prie, ne me laissez pas! gémit-elle plaintivement. J'ai peur!

– Que me suggérez-vous alors? De passer la nuit dans votre lit? Lorene...

– Je vous en supplie, ne m'abandonnez pas! l'implora-t-elle en s'agrippant à lui.

Il s'était déjà emparé de ses poignets pour la repousser, puis, tout à coup, son expression changea. Il se mit à caresser sensuellement la peau tendre de ses bras et se pencha pour prendre ses lèvres avec fièvre. Cette étreinte embrasa Lorene qui lui répondit avec une fougue égale. Elle désirait être à lui de tout son être et cette découverte la plongea dans une euphorie totale. Enfin, elle était libre, libre des démons qui l'avaient poursuivie depuis l'adolescence!

La jeune fille avait l'impression d'être emportée par un ouragan. Plus rien n'existait que le moment présent; la tension qui les habitait depuis le matin avait disparu. Il fit mine de s'écarter et elle l'attira contre lui en étouffant un gémissement. Avec des gestes lents, elle effleura son torse et perçut le frémissement d'Oliver. Pleine d'audace, elle poursuivit son exploration, oubliant dans son ravissement qu'il ne l'aimait pas.

– Lorene!

Sa voix altérée l'aiguillonna, elle s'arqua contre lui en une offrande muette. Avec ferveur, Oliver déposa un baiser à la base de son cou puis frôla la pointe de ses seins durcis par le désir. Éperdue, elle cria son nom et un plaisir fou l'envahit tout entière. Elle flottait dans un océan de sensations enivrantes; à cet instant, elle se moquait éperdument des conséquences et goûtait avec extase les joies que lui apportait sa délivrance. Le besoin de s'unir à cet homme qu'elle adorait la consumait et elle ondula contre lui en une pressante invite. Lorene n'éprouvait aucune honte, aucune pudeur; elle se comportait en femme épanouie et sûre d'elle. Oliver dut percevoir cette transformation, car il murmura d'un ton incertain :

– Lorene, est-ce bien vous? J'ai du mal à y croire... Vous êtes-vous enfin libérée de votre passé? Vos doutes et vos blocages sont bien morts?

A ces mots, la jeune fille se raidit. Oliver venait de briser de façon irréparable l'instant de magie qui les avait unis. Pourquoi, oh, pourquoi avait-il fallu qu'il lui rappelle sa promesse? Pour elle, faire l'amour avec lui aurait été l'expression ultime de ses sentiments, alors que pour lui, cet acte aurait signifié le succès de sa thérapie... N'avait-il pas juré qu'il ferait d'elle une femme « normale »?

D'une voix sans timbre, elle jeta :

– Oui, Oliver, je suis libre. Inutile de pousser plus loin l'expérience.

– Expérience? répéta-t-il, visiblement surpris. Mais que diable voulez-vous dire? s'enquit-il en se redressant.

– Ne jouez pas les innocents, je vous en prie, fit-elle sèchement. Vous m'avez utilisée, je vous ai servi de cobaye car je devais figurer dans votre livre. Je l'ai deviné presque tout de suite.

– Mais enfin, ce n'est pas...

Il s'interrompit brusquement pour pousser les articles et le journal que Lorene avait posés sur le lit et sur lesquels il était assis. Fronçant les sourcils, il alluma la lampe de chevet qui répandit une vive lumière dans la pièce. D'un ton mordant, il questionna :

– Pourquoi avez-vous pris cela? Que comptiez-vous en faire? Et puis qu'y a-t-il dans ce cahier?

Il l'ouvrit au hasard et se mit à en lire des passages. Un lourd silence s'abattit et lorsqu'il releva la tête, le regard qu'il lança à Lorene, mêlé de colère et d'un profond mépris, la pétrifia.

– Ma parole! souffla-t-il en terminant sa lecture avec stupéfaction. Et vous avez l'audace de m'accuser, *moi*! Qu'est-ce que cela signifie?

– Je peux vous expliquer, balbutia-t-elle en tentant désespérement de reprendre son journal.

Mais il l'en empêcha et continua sa lecture, ses traits devenant de plus en plus menaçants au fur et à mesure de ses découvertes. Au bout d'un long moment qui mit Lorene au supplice, il jeta d'un ton bref :

– Vous voilà démasquée, ma chère... Si je comprends bien, vous êtes venue ici dans le but de me discréditer. Surtout, n'essayez pas de vous disculper, votre culpabilité se lit sur votre visage.

Elle baissa la tête, vaincue. Non, en effet, elle ne pouvait pas lui expliquer ce qui s'était passé dans sa tête car il lui faudrait inévitablement lui avouer son amour.

– Bon sang! marmonna-t-il. Vous êtes tellement obsédée par votre passé que cela vous aveugle. Vous ne vous êtes même pas aperçue que vous pouviez utiliser une arme bien plus redoutable contre moi... Je me suis totalement mépris à votre sujet, quel dommage! ajouta-t-il avec un regard plein de mépris.

Sans un mot de plus, il la quitta, laissant à la jeune fille l'impression qu'elle avait commis une faute impardonnable. Ah, si seulement elle avait détruit son cahier à temps!

Quand elle se leva le lendemain matin, elle trouva un mot d'Oliver dans la cuisine lui apprenant qu'il était parti pour Nice. Leurs relations avaient abouti à une impasse, nota-t-elle avec amertume, comment allait-elle pouvoir supporter de travailler avec lui à présent?

Elle branchait la cafetière électrique lorsqu'elle entendit une bruit de moteur. Surprise, elle s'approcha de la fenêtre et reconnut la Range Rover d'Elisabeth. Un sourire ravi éclaira son visage et elle se porta à sa rencontre.

Après les salutations d'usage, Lorene annonça qu'Oliver s'était absenté pour la journée.

– Tant pis, fit Elisabeth, déçue, nous ne le verrons pas. Je compte reprendre la route dans l'après-midi. La tante de mon mari vient de tomber malade et il me faut rentrer.

Elle distribua des ordres aux enfants et ajouta :

– A propos, j'ai des excuses à vous faire, Lorene. Je suis terriblement désolée de ce qui s'est passé avec Charles. Il a tout avoué à Richard lorsque nous étions en Espagne. Sa conduite a été inqualifiable!

– Ce n'est pas grave, la rassura la jeune fille tandis qu'une idée germait dans sa tête.

Pourrait-elle demander à Elisabeth de l'emmener? Oliver ne tiendrait plus à ce qu'elle reste maintenant. D'une voix timide, elle s'enquit :

– Elisabeth, cela vous ennuierait-il de m'avoir comme passagère? J'aimerais moi aussi rentrer en Angleterre.

– Oliver est-il au courant?

– Non, mais il sera ravi. Nous nous sommes disputés assez violemment hier et... euh... pour être tout à fait honnête avec vous, je crois qu'il est préférable que je m'en aille.

– Pour lui ou pour vous? rétorqua Elisabeth. Et son livre?

– Oh, de ce côté-là, soyez sans crainte, tout va très bien. Ce sera même un autre best-seller, j'en suis sûre. En tout cas, je n'en achèterai pas un exemplaire, lança Lorene avec véhémence.

– J'avoue que je ne comprends pas très bien, fit Elisabeth, étonnée par la virulence de la jeune fille.

En temps normal, Lorene n'aurait jamais pu se confier à une personne comme la sœur d'Oliver qu'elle connaissait assez peu, mais l'affrontement avec l'écrivain l'avait tellement bouleversée qu'elle ressentait un besoin de parler de ses problèmes. Et puis, instinctivement, elle faisait confiance à Elisabeth.

Cette dernière écouta son récit sans l'interrompre. Mais quand Lorene mentionna ses soupçons à l'égard de son frère, elle intervint en fronçant les sourcils.

– A mon avis, vous vous trompez, déclara-t-elle. Oliver ne s'abaisserait jamais à commettre une chose pareille. Je le connais et je sais combien il a souffert en s'apercevant qu'il vous avait injustement calomniée. Il a ensuite remué ciel et terre pour vous retrouver. Je pense plutôt qu'il cherchait à vous aider. Avez-vous pensé qu'il pourrait être amoureux de vous, tout simplement? ajouta-t-elle en observant la réaction de son interlocutrice.

Lorene la fixa d'un air ahuri et perdit un instant l'usage de la parole.

– Non, souffla-t-elle, c'est... impossible!

– Mais vous, vous l'aimez, n'est-ce pas? en conclut Elisabeth avec une perspicacité stupéfiante. Et c'est pour cela que vous voulez fuir... Avez-vous essayé de discuter à cœur ouvert avec lui? Non?

– Non, je ne préfère pas, fit-elle. Si cela vous pose un problème de me ramener, je peux très bien prendre l'avion et...

– Si votre décision est irrévocable, alors, bien sûr, vous devez venir avec nous, coupa Elisabeth. Quoique... je tremble en songeant à la colère de mon cher frère lorsqu'il apprendra.

Dans l'après-midi, quand Lorene fut installée dans la Range Rover, elle s'interdit de jeter un regard en arrière tandis qu'Elisabeth négociait le dernier virage de l'allée. Elle avait laissé un mot à Oliver, lui expliquant pourquoi elle avait jugé préférable de s'en aller. Mais à la pensée qu'elle ne le reverrait jamais plus, une immense tristesse l'accablait. Elisabeth dut percevoir son humeur mélancolique car elle ne lui posa aucune question et fut silencieuse durant tout le long trajet.

Arrivées à Londres, elles ses séparèrent à regret. En d'autres circonstances, Lorene était persuadée qu'elles auraient pu devenir d'excellentes amies.

10

Ouf, une autre semaine terminée! songea Lorene en ouvrant la porte de son appartement londonien. Elle l'avait loué en revenant d'Italie où elle avait travaillé pendant presque tout l'été comme assistante d'un producteur de films. Cet emploi lui avait beaucoup plu ainsi que tous les autres que lui avait fournis l'agence d'intérim où elle s'était présentée à son retour de France.

Lorene avait énormément changé durant ces quelques mois. Elle était devenue plus mûre, plus sûre d'elle, plus épanouie aussi. Elle avait perdu cette peur maladive que lui inspiraient les hommes mais un seul accaparait ses pensées : Oliver. En Italie, beaucoup d'hommes l'avaient courtisée et elle aurait pu en choisir un différent tous les soirs si elle l'avait voulu, mais cela ne l'intéressait pas. Et puis, elle faisait toujours le parallèle avec Oliver et aucun ne souffrait la comparaison.

La jeune fille venait justement de terminer un travail dans une grande firme, qui avait été très stimulant intellectuellement. Mais l'automne et l'hiver approchant, elle savait que les demandes de personnel temporaire baisseraient, l'agence l'en avait avertie, aussi avait-elle écrit à M. Marshall, son ancien patron, pour lui proposer ses services. Pourtant, elle craignait un peu l'accueil que réserverait l'austère directeur à la nouvelle Lorene... Elle imaginait sans peine son expression stupéfaite. Finis les chignons stricts et les tailleurs sévères! Elle portait désormais des vêtements à la mode et s'était découvert une passion pour les couleurs vives et claires qui mettaient son teint en valeur. Elle avait aussi appris à se maquiller et son visage s'en trouvait métamorphosé. Lorene avait perdu cet air austère qui rebutait les gens; elle souriait plus et se sentait mieux dans sa peau.

Malgré tout, elle n'était pas complètement heureuse car il manquait un élément essentiel à sa vie.

Au début, elle était sortie avec d'autres hommes dans l'espoir d'oublier Oliver. Hélas, elle s'était aperçue bien vite combien cet espoir était vain. Quand ils l'embrassaient, elle ne ressentait rien, leurs baisers ne provoquaient pas en elle ce déchaînement de sensations qu'elle avait connu avec Oliver. Il lui avait alors fallu se rendre à l'évidence : ce qu'elle avait ressenti pour lui n'était pas une passade mais un sentiment très fort et inaltérable...

Lorene exhala un soupir et posa sa mallette sur un fauteuil. Elle était invitée à une soirée mais la journée avait été épuisante et elle n'avait aucune envie de sortir. La perspective d'un repas confortablement pris devant la télévision lui plaisait beaucoup plus.

Une demi-heure plus tard, elle était installée, un plateau sur les genoux et suivait une de ses émissions préférées. Un journaliste très connu invitait sur le plateau des personnes sélectionnées par lui et en général fort intéressantes. Le présentateur venait de remercier un homme politique et soudain, tandis qu'il annonçait la vedette suivante, la caméra changea de plan et se fixa sur un visage que Lorene reconnut immédiatement. De stupeur, elle lâcha sa fourchette qui tomba avec fracas sur son assiette. Oliver! Le cœur battant, elle le contempla, détaillant ses traits avec avidité. Non, il n'avait pas changé si ce n'est que son costume à fines rayures le rendait encore plus séduisant.

Son sourire à travers l'écran avait toujours le pouvoir d'affoler ses sens... Mais une fois sa surprise passée, la jeune fille nota cependant qu'il avait minci et paraissait fatigué. Peut-être était-ce une impression causée par la télévision?...

Pendant quelques minutes, elle fut totalement absorbée dans son examen et en oublia d'écouter les questions posées par le journaliste. Il interrogeait Oliver au sujet de son prochain livre quand elle put à nouveau fixer son attention.

– ... et maintenant, pourriez-vous nous parler de votre roman? Il doit sortir très bientôt et les auditeurs apprécieraient certainement d'avoir une petite idée...

Oliver secoua la tête en signe de dénégation et déclara :

– Je regrette, il me serait impossible de le résumer en quelques mots. Tout ce que je peux dire c'est que le sujet me tenait beaucoup à cœur et je m'en suis en quelque sorte libéré au moyen de l'écriture.

– Ce fut donc une thérapie, remarqua le présentateur, intrigué.

– Oui, mais elle n'a pas eu les effets escomptés, précisa-t-il avec une ironie teintée d'amertume.

L'interview dura encore quelques minutes puis la caméra se tourna vers un autre invité. Lorene resta cependant l'œil rivé au poste dans l'espoir d'apercevoir Oliver. Rien n'avait changé, songea-t-elle, mélancolique, le fait de l'avoir revu confirmait seulement une chose : son amour pour lui était toujours aussi fort.

Quelques jours plus tard, Lorene reçut une réponse charmante mais décevante de son ancien employeur. M. Marshall regrettait de lui apprendre qu'il n'y avait pour l'instant aucun poste vacant. En désespoir de cause, elle accepta un emploi à mi-temps dans un grand magasin. Elle regagnait son bureau après sa pause déjeuner un après-midi quand elle remarqua que le rayon livre était en pleine effervescence.

– Nous arrangeons des présentoirs pour le nouveau livre d'Oliver Shaw, lui expliqua une vendeuse, visiblement tout excitée. L'avez-vous vu? Il passait à la télévision la semaine dernière. Ah, quel homme! fit-elle dans un soupir. Je vais sûrement acheter un exemplaire!

Eh bien, pas moi! se dit Lorene à part elle. Elle redoutait bien trop cette épreuve : découvrir le contenu et savoir si ses soupçons étaient justifiés... Néanmoins, alors qu'elle traversait le magasin quelques jours plus tard, elle remarqua une foule compacte qui se pressait autour du rayon des livres et ne put résister à la curiosité d'aller jeter un coup d'œil.

En approchant, elle devina vite la cause de ce remous : Oliver, entouré d'une nuée d'admiratrices, dédicaçait gracieusement son roman! Pétrifiée, elle se figea sur place, accablée par le choc que lui procurait cette rencontre fortuite.

Il était impossible qu'il ait pu détecter sa présence et pourtant, lorsqu'il releva la tête quelques secondes plus tard, son regard se fixa sur elle, l'attirant par son pouvoir magnétique. Lorene demeura immobile et retint son souffle. Puis elle se reprit. Non, sa vue avait dû lui jouer des tours. Il était fort improbable qu'il ait pu la repérer au milieu de cette marée humaine. Elle se détourna et reprit la direction de son bureau. Pourquoi Oliver aurait-il voulu lui parler, d'ailleurs? se demanda-t-elle. Qu'auraient-ils eu à se dire après la façon dont elle s'était enfuie? Quel démon l'avait poussée à agir de façon aussi puérile? Non, il valait mieux pour elle cesser de se tourmenter et s'habituer à l'idée qu'Oliver était définitivement sortie de sa vie.

L'hiver avait succédé à l'automne et les gens s'apprêtaient à fêter dignement Noël. La ville croulait sous les décorations diverses et une atmosphère joyeuse régnait. Lorene, quant à elle, n'était pas d'humeur festive. Plusieurs amis l'avaient invitée à passer les fêtes en leur compagnie mais cette idée n'enchantait guère la jeune fille. Elle aurait préféré partir à l'étranger. L'agence lui avait proposé un emploi en Suisse mais elle avait refusé après avoir lu par hasard dans un magazine qu'Oliver devait s'y rendre aussi à cette période et dans la même ville qu'elle. Ils avaient fort peu de chances de se rencontrer mais tout de même, on ne savait jamais...

Un peu avant la Noël, elle reçut une lettre venant du Dorset et que *Marshall et Marshall* lui avait fait suivre. Intriguée, elle l'ouvrit et s'aperçut avec surprise qu'elle avait été écrite par Elizabeth Turner. Pensant que la jeune fille travaillait toujours pour son ancien employeur, elle lui avait adressé un mot aux bons soins de M. Marshall. Quelle coïncidence! songea Lorene, si elle ne s'était pas manifestée récemment auprès d'eux pour solliciter un travail, ils n'auraient pu avoir sa nouvelle adresse!

Elle parcourut la carte : Elizabeth l'invitait très gentiment à venir passer le Nouvel An, chez eux, en famille. « Soyez sans crainte, ajoutait-elle, Oliver ne sera pas parmi nous, il doit aller en Suisse et nous serions ravis de vous revoir... »

Lorene aussi serait ravie, elle aimait beaucoup la famille Turner. Bien sûr, il serait plus sage de dire non mais... elle ne pouvait s'y résoudre. Ignorant la petite voix qui lui soufflait de renoncer, elle rédigea une réponse, remerciant Elizabeth de son invitation qu'elle acceptait avec plaisir.

En attendant le week-end, Lorene oscilla entre des périodes d'excitation suivies de moments de dépression. Évidemment, elle ne verrait pas Oliver mais peut-être pourrait-elle questionner Elizabeth sur son frère et ainsi connaître des facettes du personnage de l'écrivain qu'elle ignorait.

Lorene décida de se rendre chez les Turner en voiture; Elizabeth lui avait téléphoné durant la semaine pour lui donner toutes les indications sur la route à prendre.

– La maison était une grange, à l'origine, que nous avons entièrement aménagée. Elle appartient à la famille de mon mari et nous y sommes très attachés... Je suis si contente que vous veniez! avait-elle ajouté. Nous nous réjouissons tous de votre venue.

Son évidente sincérité toucha Lorene. Elle aussi avait hâte de les revoir.

Le trajet jusqu'au Dorset se passa sans incident grâce au plan très précis qu'elle avait et ce fut en milieu d'après-midi qu'elle se gara enfin devant un long bâtiment en pierre visiblement très ancien et patiné par les ans. A peine avait-elle claqué sa portière que les jumeaux se précipitèrent à sa rencontre, suivis de Rick. Elizabeth sortit à son tour et accueillit son invitée avec chaleur en déposant un baiser sur sa joue.

– Venez, je vais vous aider à vous installer. Graham n'est pas là, il a été appelé pour une urgence. Une de ses patientes accouche avec un peu d'avance sur la date prévue.

Elles pénétrèrent dans un vaste hall; les portemanteaux croulaient sous un nombre impressionnant de manteaux et imperméables. Sur le sol gisait une myriade de paires de bottes en caoutchouc et de laisses.

– J'espère que vous m'excuserez pour le désordre. D'habitude, la maison est mieux rangée. Mais notre précieuse femme de ménage a pris des vacances et en son absence, la situation dégénère!

– Je vous prêterai main-forte si vous le voulez bien, proposa Lorene. A propos, attendez-vous d'autres invités?

Les jumeaux prirent un air étonné et furent sur le point de parler mais leur mère les en empêcha en déclarant :

– Eh bien, euh... non, pas pour l'instant en tout cas. Venez, je vais vous montrer votre chambre et ensuite nous prendrons une tasse de thé.

Elle introduisit Lorene dans une pièce au papier peint fleuri très gai.

– La maison appartenait à l'arrière-grand-père de mon mari et elle est toujours restée dans la famille depuis.

– Elle a beaucoup de caractère, fit Lorene, charmée par la simplicité et le charme des lieux.

– C'est vrai, convint Elizabeth. J'ai toujours préféré l'ancien pour cela. Bien, je vous laisse vous installer. Lorsque vous serez prête, venez me rejoindre en bas. Nous serons en famille pour le dîner, ce soir.

– Vous devez avoir une foule de choses à préparer, remarqua Lorene. Puis-je vous aider?

– Je... en fait, ce n'est pas la peine. Tout est organisé bien que cela n'en ait pas l'air. Nous recevons simplement ici, je vous avertis.

Quand Lorene eut fini de vider sa valise, elle s'en alla rejoindre son hôtesse dans le salon aux fauteuils tendus de chintz, une pièce chaude et accueillante qui reflétait le caractère de ses habitants.

– Vous arrivez juste à temps! s'exclama Elizabeth. Asseyez-vous et racontez-moi un peu ce que vous avez fait depuis votre séjour à Arles.

– J'ai travaillé à l'étranger pour une agence d'intérim, expliqua Lorene en caressant distraitement la tête du labrador qui était venu lui dire bonjour. C'était épuisant mais très agréable. J'ai rencontré énormément de gens très sympathiques et en plus j'ai profité du temps splendide qu'il faisait en Italie cet été.

– Vous vous êtes réconciliée avec la vie, si je comprends

bien, fit Elizabeth. Oliver en sera ravi. Il s'est beaucoup inquiété à votre sujet.

Elle lui tendit une tasse de thé et le sucrier. Lorene se détourna pour poser la soucoupe à côté d'elle et son hôtesse ne put voir son expression. Le seul fait de mentionner Oliver avait suffi à réveiller les émotions houleuses de la jeune fille.

– Ce n'était vraiment pas la peine qu'il se fasse du souci, rétorqua-t-elle d'une voix mal assurée.

– C'est exactement ce que je lui ai dit, admit Elizabeth. Mais je ne l'ai pas convaincu! Et lorsqu'il a découvert que vous étiez partie avec moi, j'ai dû essuyer une de ses fameuses colères. Je ne l'avais jamais vu dans un tel état!

– Je reconnais que ma décision a été un peu subite mais...

– Vous étiez tombée amoureuse de lui et vouliez vous enfuir, termina Elizabeth à sa place. Peut-être était-ce inévitable...

– A cause du passé? C'est ce que j'ai pensé au début. J'ai même tout fait pour que cela me passe, en vain. Et puis, en analysant les faits, j'ai découvert que mon attirance pour lui remontait à très loin, à notre première rencontre. Je me suis confiée à lui sans hésiter et lorsqu'il a trahi ma confiance, je l'ai ressenti avec une intensité qui m'a stupéfaite. Pendant des années, je l'ai haï de toutes mes forces. Je crois avoir transféré la haine que j'éprouvais pour mon beau-père sur lui.

« Puis nous nous sommes revus au cabinet de M. Marshall et il m'a expliqué pourquoi il avait agi ainsi, et l'horrible sentiment de culpabilité qui l'avait poursuivi depuis. J'ai alors pris conscience que j'avais détesté un personnage qui n'existait que dans mon imagination. Le véritable Oliver Shaw était différent et je suis tombée sous son charme, irrémédiablement. »

– Et il ne vous est jamais arrivé de songer qu'il pouvait en être de même pour lui?

– C'est impossible. Il était simplement curieux de voir comment j'avais évolué, c'est tout.

– Avez-vous lu son livre? s'enquit Elizabeth.

– Non, j'ai failli, mais je n'en ai pas eu le courage. J'ai entendu dire qu'Oliver était en Suisse...

Elle se détestait d'avoir posé cette question mais n'avait pu résister à l'envie de savoir ce qu'il devenait.

– Oui, il a passé Noël là-bas, fit Elizabeth. Ah, j'entends une voiture. Ce doit être Graham.

Un sourire d'anticipation errait sur ses lèvres et Lorene lui envia son bonheur. Ce devait être merveilleux d'aimer avec autant de force un homme après des années de mariage. Et elle, connaîtrait-elle cette joie? La jeune fille en doutait.

Graham Turner se révéla tout aussi sympathique que sa bouillonnante épouse. Leurs tempéraments se complétaient d'ailleurs : le médecin était placide et plein d'humour, Elizabeth vive et d'un dynamisme à toute épreuve. Comme cette dernière lui demandait des nouvelles de sa patiente, il déclara :

– Moira a eu des jumeaux; l'accouchement s'est parfaitement déroulé. Quant à Derek, il pavoise! Ah, c'est bien émouvant d'assister à une naissance, c'est une des récompenses de notre métier... Au fait, ajouta-t-il subitement, qu'as-tu préparé de bon pour le dîner, ma chérie? Je meurs de faim.

– Décidément, Graham, tu es incorrigible! le gronda sa femme en riant. Nous avons du bœuf en daube et si je veux que ce soit prêt à temps, il faut que je m'y mette sans tarder.

Au cours du repas, Lorene eut l'occasion de se familiariser avec ses hôtes. La famille Turner semblait très unie; il régnait chez eux une atmosphère gaie qui rendit la jeune fille un peu nostalgique. Elle regrettait de ne pas avoir eu de frère et sœur. Amusée, elle écoutait les jumeaux qui taquinaient impitoyablement Rick au sujet de sa petite amie. Quand ils devenaient un peu trop féroces, leur père intervenait pour les rappeler à l'ordre.

Lorene aida à débarrasser la table et Elizabeth lui murmura en aparté :

– Ils sont épuisants, n'est-ce pas? Heureusement, ils disparaissent toujours dans la salle de jeux après et cela nous laisse un peu de répit!

Lorene dormit d'une traite cette nuit-là, d'un sommeil paisible, et fut réveillée par Elizabeth qui lui apportait une tasse de thé. Un rapide coup d'œil à son réveil lui apprit qu'il était plus de neuf heures.

– Oh, quelle horreur! Il est si tard! gémit-elle.

– C'est l'air de la campagne qui a dû agir comme un soporifique, fit Elizabeth en riant. Mais ce n'est pas grave. En fait, je dois vous prier de m'excuser. J'ai complètement oublié que j'avais un rendez-vous aujourd'hui. Je pourrais le décommander mais...

Elizabeth avait l'air vraiment ennuyée et Lorene la rassura aussitôt.

– Je vous en prie, ne vous inquiétez pas pour moi, je trouverai de quoi m'occuper.

Elizabeth lui annonça qu'elle devrait partir après le déjeuner. Graham l'accompagnait. Quant aux enfants, ils passaient l'après-midi chez des voisins. Lorene n'aurait donc que Susie pour toute compagnie.

Après leur départ, la jeune fille décida de profiter de ces quelques heures de liberté pour se préparer en vue de la fête qui devait avoir lieu le soir même.

Elle se fit couler un bain chaud dans lequel elle paressa un long moment et se lava les cheveux. Lorene finissait de sécher son opulente chevelure quand elle entendit une voiture arriver. Bizarre, se dit-elle en fronçant les sourcils. Ce ne pouvait être les Turner, il était bien trop tôt. Peut-être venait-on chercher Graham pour une urgence? A la hâte, elle enfila un peignoir et descendit en courant les escaliers. Au moment où elle arrivait dans le hall, elle entendit le grincement de la clé dans la serrure. Susie, la chienne, grattait frénétiquement le battant en poussant des jappements excités. Lorene n'eut pas le temps de s'interroger sur l'identité du visiteur : la porte s'ouvrit brusquement et une voix autoritaire retentit :

– Susie, idiote! Au pied!

En reconnaissant ces intonations, Lorene demeura clouée au sol par la surprise. La bouche sèche, elle vit Oliver avancer vers elle. Il lui parut plus grand et plus carré que dans ses souvenirs; lui en revanche ne semblait pas étonné de sa présence, nota-t-elle fugitivement. Il caressa Susie, la repoussa ensuite gentiment avant de lancer d'un ton posé :

– Bonjour, Lorene!

– Je vous croyais en Suisse!

Sa voix mal assurée et légèrement aiguë trahissait son désarroi. Elle se rapprocha subrepticement de la rampe pour s'y appuyer, car le choc l'avait privée de ses forces. Quelle idiote! se gourmanda-t-elle, elle aurait pu trouver une repartie plus spirituelle!

– Eh oui, je sais, fit-il d'un ton bref. Venez, rentrons.

Il saisit d'autorité son bras et Lorene ressentit le même trouble familier à ce contact. Oliver l'entraîna dans le salon dont il ferma la porte d'un air décidé qui effraya la jeune fille. Que lui voulait-il exactement?

– Vous n'êtes pas très facile à trouver, Lorene. Où vous êtes-vous volatilisée après m'avoir faussé compagnie?

Il arborait une expression menaçante qui fit perdre ses moyens à Lorene.

– J'ignorais que vous me cherchiez, rétorqua-t-elle sur la défensive.

– Allons, je vous en prie, ne faites pas l'idiote! jeta-t-il, sardonique. Vous êtes partie en laissant une discussion inachevée et vous en êtes tout à fait consciente!

– Si vous voulez parler de mon journal, commença-t-elle d'un ton incertain. Je... c'était une erreur, je le reconnais. Je m'en suis vite aperçue d'ailleurs. J'avais tellement de rancune envers vous au début... mais je n'aurais jamais pu mettre mon plan à exécution, jamais!

– Alors, en fin de compte, vous ne me haïssez plus?

Sa voix trahissait une incertitude qui fit battre follement le cœur de Lorene. Elle baissa les yeux et vit sur la table le roman d'Oliver. Elle le prit, gênée par son regard intense.

– L'avez-vous lu, Lorene?

– Non, pas encore.

– J'aimerais que vous le fassiez mais auparavant, nous allons avoir une petite explication tous les deux. Pourquoi avez-vous pris la fuite? Et le jour où je dédicaçais des livres dans un grand magasin, j'ai bien essayé de vous faire signe, mais vous avez disparu. Pourquoi?

Ainsi, il l'avait repérée! se dit-elle, stupéfaite.

– Parce que je ne voyais pas l'intérêt d'un nouveau face à face, riposta-t-elle sèchement. Vous avez eu ce que vous vouliez, après tout. Votre cobaye ne vous était plus d'aucune utilité.

– Cobaye? répéta-t-il. Mais enfin, qu'est-ce que cela signifie? Et pour l'amour du ciel, allez-vous changer de tenue! gronda-t-il, visiblement à bout. Comment voulez-vous que nous discutions sérieusement dans ces conditions?

Devant l'air déconcerté de la jeune fille, il enchaîna :

– Oh, Lorene! Si vous saviez à quel point je vous désire! Votre souvenir m'a obsédé ces derniers mois. J'ai enduré un véritable supplice mais ceci est encore pire!

En deux enjambées, il la rejoignit et la serra dans ses bras à l'étouffer. Comme un homme possédé, il s'empara de ses lèvres avec une violence qui lui fit tourner la tête. D'une voix altérée, il murmura :

– Je vous aime, Lorene, à la folie! Je sais que vous n'êtes pas prête mais je...

Éperdue de bonheur, elle posa un doigt sur sa bouche pour le faire taire et lui offrit ses lèvres en guise de réponse. Pendant de longues minutes, plus rien n'exista que ces sensations enivrantes qu'ils redécouvraient avec fièvre. Ce fut Oliver qui rompit la magie de l'instant pour demander :

– Lorene, ce que nous partageons est unique. Si je vous laissais du temps, pourriez-vous... m'aimer?

– Je ne sais pas... fit-elle sans pouvoir cacher la lueur de malice qui brillait dans ses prunelles.

– Ma chérie, je vous en supplie, ne me torturez pas! gronda-t-il d'une voix rauque.

Incapable de prolonger son agonie, elle s'écria :

– Oh, Oliver! Je vous aime moi aussi! C'est pour cela que je me suis enfuie! Je croyais que vous m'utilisiez et je n'ai pas pu le supporter.

– Quel temps perdu! gémit-il, accablé. Je souhaitais seulement vous aider, ma chérie. Tâchez de me comprendre; pendant des années, un affreux sentiment de culpabilité m'a poursuivi et j'ai remué ciel et terre pour vous retrouver. Et puis, quand je vous ai revue, je me suis rendu compte que les événements avaient laissé leur empreinte sur vous : émotionnellement et affectivement, vous étiez morte. Bill Trenchard vous avait empêchée de vous épanouir...

« Malgré la haine que je vous inspirais, j'ai voulu vous réapprendre à vivre et je suis tombé éperdument amoureux de vous. Mais en cherchant à analyser mes sentiments, j'ai compris que je m'étais en fait épris de vous dès notre première rencontre. Ce qui explique pourquoi j'ai été si virulent dans mon article. Je crois qu'en un sens, je me protégeais contre vous et l'attirance que vous exerciez sur moi. Seulement à l'époque, je n'étais pas prêt à l'admettre... »

« Et lorsque vous êtes venue me rejoindre à Arles, la situation n'était pas facile : une constante bataille se livrait en moi; d'un côté, je voulais vous aider à vous libérer du passé, de l'autre, je désirais vous garder jalousement pour moi et réussir à me faire aimer de vous. Votre présence était un supplice : je désirais sans cesse vous toucher, vous embrasser. La nuit où vous êtes partie avec Charles, j'ai connu les affres de la jalousie et c'est pourquoi je réagissais si violemment. »

Il marqua une pause et reprit :

– Hélas, mes espoirs s'amenuisaient de jour en jour. Pour vous, je n'étais qu'un substitut de Bill Trenchard, un démon comme lui...

– Vous ne saviez pas que je rêvais de vous, coupa Lorene. Je rêvais que nous faisions l'amour, avoua-t-elle en rougissant. Je voulais de toutes mes forces connaître l'amour entre vos bras.

Oliver scella sa bouche d'un baiser ardent, plein de promesses, et Lorene sombra alors dans un abîme de plaisir si intense qu'elle n'en toucherait peut-être jamais le fond.

Oliver s'écarta légèrement pour reprendre son souffle. Il caressa ses cheveux et déclara :

– Il faut que vous lisiez mon roman, ma chérie. Il raconte notre histoire, l'histoire de la découverte de mon amour pour vous. J'y dévoile mes craintes, mes joies... Il est le gage d'un serment éternel.

– Finit-il bien? s'enquit Lorene avec un sourire.

– Tout repose entre vos mains, ma chérie, murmura-t-il.

– Alors je suis sûre qu'il y a une très belle fin, assura-t-elle.

– Que diriez-vous d'un mariage, dans ce cas? suggéra Oliver, taquin. La conclusion de notre histoire...

Pour toute réponse, elle noua ses bras autour de son cou et lui offrit ses lèvres. Ce ne fut que très longtemps après qu'Oliver remarqua d'une voix notablement éraillée :

– Je crois qu'Elizabeth tient beaucoup à une cérémonie en règle. Avec tout le mal qu'elle s'est donné pour vous attirer ici... Elle m'affirmait que vous m'aimiez mais il fallait que je l'entende de votre bouche.

– Je vous aime, mon chéri, souffla-t-elle avec ferveur.

– Nous irons en Provence pour notre voyage de noces, fit-il. Tous les deux, seuls.

– Quand?

– Bientôt, très bientôt, promit-il.

Lorene exhala un soupir de contentement et se blottit plus étroitement contre lui, savourant ce bonheur tout neuf. Le passé était exorcisé, devant eux s'annonçait un avenir aux couleurs de l'espoir.

Harlequin
Romantique

Harlequin Romantique
Les neiges
de Montdragon
Essie Summers
Harlequin Romantique
Entre dans
mon royaume
Elizabeth Hunter
Harlequin Romantique
Naufrage
à Janaleza
Violet Winspear
Harlequin Romantique
Un inconnu
couleur de rêve
Anne Weale

Éternelle jeunesse du roman d'amour!

On a l'âge de son esprit, dit-on. Avez-vous jamais songé à vérifier ce dicton?

Des romancières célèbres telles que Violet Winspear, Anne Weale, Essie Summers, Elizabeth Hunter... s'inspirant du vrai roman d'amour traditionnel, mettent en scène pour votre plus grand plaisir héros et héroïnes attachants, dans des cadres romantiques qui vous transporteront dans un monde nouveau, hors de la grisaille du quotidien. En partageant leurs aventures passionnantes, vous oublierez soucis et chagrins, vous revivrez les émotions, les joies...la splendeur...de l'amour vrai.

Six romans par mois... chez vous... sans frais supplémentaires... et les quatre premiers sont gratuits!

Vous pouvez maintenant recevoir, sans sortir de chez vous, les six nouveaux titres HARLEQUIN ROMANTIQUE que nous publions chaque mois.

Et n'oubliez pas que les 6 vous sont proposés au bas prix de $1.75 chacun, sans aucun frais de port ou de manutention. Pour vous assurer de ne pas manquer un seul de vos romans préférés, remplissez et postez dès aujourd'hui le coupon-réponse suivant:

Bon d'abonnement

Envoyez à: **HARLEQUIN ROMANTIQUE**
P.O. Box 2800, Postal Station A
5170 Yonge St., Willowdale, Ont. M2N 5T5

OUI, veuillez m'abonner dès maintenant à HARLEQUIN ROMANTIQUE et faites-moi parvenir les 4 premiers livres gratuits. Par la suite, chaque volume me sera proposé au bas prix de $1.75, (soit un total de $10.50 par mois), sans frais de port ou de manutention.

Il est entendu que je pourrai annuler mon abonnement à tout moment, pour quelque raison que ce soit et garder les 4 livres-cadeaux sans aucune obligation. Nos prix peuvent être modifiés sans préavis.

NOM (EN MAJUSCULES S.V.P.)

ADRESSE APP.

VILLE PROVINCE CODE POSTAL

376-BPQ-BPGE

ROM-SUB-2Y